le bourgeois gentleman

Photo de la couverture: Guy Dubois
Maquette de la couverture: Jacques Léveillé

ISBN 0-7761-0075-0

le bourgeois gentleman

antonine maillet

THÉÂTRE/LEMÉAC

À Tit-Louis, héros de mon enfance,
qui m'a initiée au théâtre.

LE BOURGEOIS GENTLEMAN

comédie inspirée
de Molière

CRÉATION

à Montréal, le 28 septembre 1978,
par le Théâtre du Rideau Vert
dans une mise en scène de Paul Buissonneau
des décors de Raymond Corriveau
des costumes de François Barbeau
et des éclairages de Nick Cernovitch.

PERSONNAGES

Monsieur BOURGEOIS
Madame BOURGEOIS
JOSÉPHINE, la servante des Bourgeois
JACQUES, le chauffeur
Le MAÎTRE d'éducation physique
Le PROFESSEUR de langues
Sir HAROLD Featherstonehaugh
LUCILLE, fille des Bourgeois

La scène se passe à Montréal dans les années quarante.

ACTE I

Dans le fumoir de M. Bourgeois: au fond, en montre, échantillons de chaussures.

Scène I

Joséphine, Maître d'éducation physique, Professeur de langues.

JOSÉPHINE

Entrez, c'est le bureau de Monsieur. Ça pourrait être un petit brin long, prenez les chaises. Il est parti faire des petites affaires chez les gros patrons.

MAÎTRE

Merci, ma petite dame.

JOSÉPHINE

La servante, Joséphine, sans cérémonies.

MAÎTRE

Bravo! j'aime les maisons simples, claires et sans cérémonies.

JOSÉPHINE

Ah ben là, par exemple, attendez. J'ai dit: Joséphine sans cérémonies. La maison c'est autre chose.

MAÎTRE

Ah?

JOSÉPHINE

Par rapport que depuis un certain temps, on a, comme qui dirait, maniére de cérémonisé l'existence autour d'icitte.

PROFESSEUR, *dédaigneusement*

Oh!

JOSÉPHINE

Pardon?

PROFESSEUR

How dreadful!

JOSÉPHINE

Vous dites?

PROFESSEUR, *avec fort accent angl.*

Cérémonisé l'existence! Vous venez de faire au moins trois fautes grammaticales, Mademoiselle.

JOSÉPHINE

Ça, j'aurais pas cru, voyez-vous. Je m'arais figuré, moi, que ç'aurait été maniére de malaisé de faire trois fautes avec deux mots.

PROFESSEUR

D'abord l'existence ne se cérémonise pas... how disgusting! Puis cérémonie est un nom et un nom ne se conjugue pas. Enfin, si cérémonie se conjuguait, God forbid us! il serait intransitif et ne saurait, par conséquent, commander un complément d'objet direct. Est-ce assez clair?

JOSÉPHINE, *qui imite l'accent du prof.*

Clair comme la danse des baleines un jour de tempête de mer, yes sir!

MAÎTRE, *qui tend la main au prof.*

Jos Tremblay, éducation physique: médailles d'or, d'argent et de bronze, trente coups sûrs, moyenne de soixante-huit aux dix-huit trous, et yogi de l'école du Marahaja Mamoucha Maramouchi.

JOSÉPHINE

Eh ben! Mamamouchi de dix-huit trous en ceinture noire et médaille de bronze!

PROFESSEUR

Dr. Barry Fitchgerald Chomedey, graduate from Queen's Linguistics and Phonetics, class 1924.

JOSÉPHINE

Parfait! Asteur que la cérémonie est finie, vous pouvez vous assire...

PROFESSEUR

Assire!

JOSÉPHINE

...Vous pouvez déposer là votre va-t-'asseoir... en espèrant le patron qui devrait point ou pas tarzer. Est-ce que je pourrais-je vous servir queque chose?

MAÎTRE

Mais, voyons voir...

PROFESSEUR

Non, merci, pas en service.

MAÎTRE, *déçu*

Merci.

JOSÉPHINE

Oh! mais pardon, moi itou je suis en service et j'ai reçu des ordres: servir à boire à la visite. Par rapport que ça se fait à Westmount; et ce qui se fait à Westmount, ça doit se faire à Rosemount: voilà les nouvelles mœurs de la maison. C'est pour ça qu'on vous fait mander, pour apprendre au patron à vivre comme un gentleman. Et avec des maîtres comme vous, m'est avis que notre Bourgeois va grimper la butte de Westmount sans même ôter ses claques... (*Au prof.*) Pardon, Monsieur, ses rubbeurs.

PROFESSEUR

I don't quite understand. Des claques... pourquoi des claques à Westmount?

JOSÉPHINE

Pourquoi?... Ben je m'en vas vous expliquer ça. Vous comprenez, M. l'Anglophone, que mon patron, né natif au quatrième rang de Sainte-Pétronille-des-Quatres-Pattes, arrivé en ville avec la crise pour y atterrir dans un moulin à chaussures, où c'est qu'il commence tout en bas de l'échelle — c'est lui qui colle les semelles aux talons — vous voyez qu'un homme comme ça qui grimpe en queques années des talons aux chevilles, aux bottes en haut des genoux, achève ses jours au Conseil du Patronat. Et le v'là rendu, mon maître, à l'heure que je vous parle, grand patron des claques!

MAÎTRE

Parlez-moi de ça! Avec une pareille pâte d'homme, moi je vous fais un champion et je vous le mène tout droit aux Olympiques.

JOSÉPHINE

Y en a d'autres qu'ont passé avant vous et qui l'ont mené au bureau-chef de la Banque de Montréal, pis à la Royale Trust du centre ville, pis au club des Millionnaires de la rue Saint-Jacques; et tout ça va le mener direct à Saint-Jean de Dieu si personne fait rien pour empêcher ça. Parce que depuis un certain temps, notre homme... (*Elle indique que dans sa tête, ça ne tourne pas rond.*)

MAÎTRE

Ça ne va pas?

PROFESSEUR

M. Bourgeois est-il malade?

JOSÉPHINE

L'homme le plus malade du monde. Figurez-vous que la semaine dernière, il a refusé les gosiers de morue que j'y avais préparés, et a commandé du roast-beef. Du roast-beef à la place des langues de morues, pour un homme qu'a fait trois ans de pêche en Gaspésie... Vous trouvez ça normal, vous? Et pas plus tard qu'avant-hier, il m'a défendu de servir plus jamais de la tarte aux bleuets, et a demandé un plum-pudding. Refusé de la tarte aux bleuets quand on a été bûcheron dans sa jeunesse au Lac Saint-Jean, et on n'est pas malade? C'est pas toute: il vient de changer notre bonne vieille «chève» chromée à quatre portes et doublée en carotté, pour une espèce de Rolls Royce haute sur pattes et qui ressemble à une Ford 1920; pis il a vendu nos coffres de cèdre, et notre horloge grand-père, et nos berceuses, et a tout remplacé par la Reine Victoria. Hier, il a rentré avec le Star, le Times, la Bible et le Reader's Digest et a brûlé Maria Chapdelaine et la Petite Aurore Enfant Martyr. Quand on est rendu à remplacer Marie Chapdelaine par la Grosse Victoria... Il veut se faire gentleman à tout prix. C'est pour ça qu'il a entrepris de se faire Anglais.

MAÎTRE

Ça c'est logique.

JOSÉPHINE

Et c'est logique itou de garrocher le violon et la Bolduc au fond de l'armoire? et de renoncer à la tourtiére et au caribou, et aux danses carrées, et à la chasse aux lièvres en raquettes, et à la partie de cinq cents du jeudi soir avec Tit-Jean Boucher et Pit Germain, ses compères? La derniére fois que ses voisins sont venus fumer une pipe avec lui, il leur a passé des cigares et les a appelés German et Butcher. Ça fait qu'ils sont plus revenus. C'est notre Sir Harold Featherstonehaha de Westmount. Mais là, c'est plus des cartes, c'est du bridge.

PROFESSEUR

Featherstonehaughaugh? How strange!

MAÎTRE

Je commence à comprendre notre homme. On va le gentlemaniser en deux tours de bras: avec le golf, tennis, équitation, yoga, sauna, yachting...

PROFESSEUR

Disgusting! Il faut avant tout lui former l'esprit, l'esprit qui s'exprime dans la parole, le verbe.

JOSÉPHINE

Et le verbe s'est fait chair!

MAÎTRE

Pardon! Un esprit sain dans un corps sain.

PROFESSEUR

Prétendriez-vous, M. le professeur d'éducation physique... heug!... que votre gymnastique serait de nature à rendre à l'homme son équilibre spirituel et mental?

JOSÉPHINE

Moi je dirais que non.

MAÎTRE

Et vous, grand maître des exercices de la gueule, seriez-vous en train de me dire que les mouvements de la langue qui claque contre le palais seraient capables de remettre un homme sur pied?

JOSÉPHINE

Avec la langue contre le palais, remettre un homme sur pied...

PROFESSEUR

Je crains que notre discussion, Sir, soit descendue trop bas. Excusez-moi.

JOSÉPHINE

Excusez-le.

MAÎTRE

Dans un corps sain, il n'y a rien de bas. Je vous demande pardon.

JOSÉPHINE

Il vous demande pardon.

PROFESSEUR

J'en ai assez dit.

JOSÉPHINE

C'est ce que je crois aussi.

MAÎTRE

Je me tais.

JOSÉPHINE

Parfait... Asteur, si vous voulez ben, mes petits-maîtres de ceci et de ça, je vas quand même vous servir un petit queque chose. J'ai reçu des ordres, moi. Et ces jours-citte, c'est point le temps de le contrarier, le gentleman; il cherche rien que l'occasion de me renvoyer.

MAÎTRE

Il veut vous remplacer par une Anglaise, si je comprends bien.

JOSÉPHINE

Non, par une Espagnole. Les Anglais n'ont pas de servantes anglaises, mais des espagnoles.

PROFESSEUR

Mais les Espagnoles, en général, ne parlent pas anglais.

JOSÉPHINE

Personne leur demande de parler, non plus, mais de servir, la goule fermée.

BOURGEOIS, *de la coulisse*

Joséphine!

JOSÉPHINE

Le v'là, Seigneur Dieu! (*Elle crie:*) Scotch whisky on the rocks?

MAÎTRE

Est-ce qu'il parle anglais?

JOSÉPHINE

Oh oui, il sait: Thank you very much!

Le Bourgeois approche en se râclant la gorge.

JOSÉPHINE

Messieurs, le Roi des claques!

Elle se sauve.

Scène II

Bourgeois, le maître, le professeur, plus tard Joséphine.

MAÎTRE

Mr. Bourgeois! How do you do?

BOURGEOIS

I do, I do, thank you very much. Alors c'est vous le professeur d'anglais que j'ai mandé chez moi ce matin. Vous allez m'apprendre beaucoup de choses d'un seul coup. Ce soir, il faut que je me fasse comprendre en anglais.

MAÎTRE

Mais Monsieur...

BOURGEOIS

Non, non, non, j'ai bonne tête, vous verrez; j'entends un mot une fois, et je le retiens. Je veux épater ma femme, ma fille, mon chauffeur, et même cette garce de Joséphine qui a tout le temps ce petit sourire dans l'œil chaque fois que je m'efforce de vivre selon mon rang et... Il faut quand même qu'on comprenne à la fin dans quel monde on vit au jour d'aujourd'hui, et où s'en va l'avenir. Vous me montrerez tout ce que vous savez, en commençant par le plus pratique. *(Il se dirige vers le professeur.)* Et.vous? Vous devez être mon maître sportif?

PROFESSEUR

Oh!...

BOURGEOIS

Bravo! Le golf, le billard, le cheval, je me sens déjà en pleine forme et prêt à tout. *(Il accompagne*

ces paroles de gestes très loin des sports énumérés.)
Vous me déraidirez les jambes tandis que l'autre me ba-
ragouinera des « very good, very much ». Après tout,
les oreilles et les jambes peuvent bien travailler en
même temps, et les ouïes écouter de l'anglais pendant
que les jarrets sautent dans le golf et le billard.

MAÎTRE

Pardon, M. Bourgeois, mais on ne joue pas au billard avec les jarrets.

BOURGEOIS

Ah non? Mais qu'est-ce que vous en savez, vous?
C'est au professeur de gymnastique que je parle.

PROFESSEUR

Oh! outrageous!

MAÎTRE

C'est que... le professeur de gym, c'est moi.

BOURGEOIS

Vous? Alors ça, c'est quoi?

PROFESSEUR, *profondément outragé*

Ça, c'est le professeur de stylistico-phonético-lin-
guistique, Sir.

BOURGEOIS

Ah bon, fallait le dire. Ça fait rien: ce que j'ai
dit à l'un s'adressait à l'autre et vice versa. L'important

c'est d'arriver à se comprendre. C'est pour ça qu'il faut parler la même langue : celle de la majorité.

MAÎTRE

Et celle des jeux, et des moving pictures et des affaires...

BOURGEOIS

À qui le dites-vous! Prenez rien que le Conseil du Patronat. Qui pensez-vous qu'on trouve là-dedans? Les gars de Westmount. Tout le monde parle la même langue et tout le monde s'entend. Il y a la Molson, le Petroleum, le Paper Corporation, la Fur Incorporated, l'Import-Export, La Wood Industrie, Steinberg, Greenberg, Blueberg et moi...

JOSÉPHINE, *qui revient avec les verres*

Les claques!

BOURGEOIS

La garce! *(Bas)*. Je t'ai pas avertie, effrontée, de te comporter en fille de bonne maison devant les étrangers et de respecter mon rang?

JOSÉPHINE, *qui l'ignore*

Scotch whisky on the rocks!

BOURGEOIS

Ça c'est mieux. Où est James? James!

JOSÉPHINE, *qui cherche*

Qui ça? Vous attendez encore du monde?

BOURGEOIS

C'est mon chauffeur, espèce d'idiote.

JOSÉPHINE

Quoi c'est que ça, vous avez déjà changé de chauffeur?

BOURGEOIS

Je n'ai pas changé de chauffeur. James c'est Jacques, voilà, si ça peut te tranquilliser.

JOSÉPHINE

Ah! ben ça me tranquillise pour vrai. Vous lui avez rien que changé de nom... le chanceux!

BOURGEOIS

On change pas les domestiques qui font proprement leur travail et respectent leurs maîtres.

JOSÉPHINE

Si ça peut vous convaincre que je travaille pour le salaire que je reçois, vous pourrez à l'avenir m'appeler Josey.

BOURGEOIS

Oh! écoutez-moi ça. Mais je suis fou de m'amuser à répondre à cette... à cette... grrr! Occupons-nous de nos affaires, Messieurs. Et toi, Joséphine, plus un mot. Par quoi allons-nous commencer? *(Les deux s'approchent en même temps et se cognent l'un sur l'autre.)* Parfait. Nous commençons tous ensemble. Ce soir je serai un gentleman... On dit bien, en anglais, gentleman, n'est-ce pas?

PROFESSEUR

On dit en anglais gentlem'n, et gentleman en français. Tout dépend de la langue dans laquelle on choisit de s'exprimer.

BOURGEOIS

On choisit d'exprimer ça en anglais... Mais comment vous dites ça, professeur? On peut dire aussi gentleman en français?

PROFESSEUR

Gentleman est un mot universel.

BOURGEOIS

Tiens! ça c'est curieux. Comme ça, quand je disais: «Je serai gentleman ou mes fesses se changeront en tomates!» je parlais universel?

JOSÉPHINE

Vous parliez cochon.

BOURGEOIS

Jo-sé-phine! plus-un-mot!... Mais, c'est tout de même un mot anglais aussi, non?

MAÎTRE

C'est la chose qui est anglaise surtout. Et ça c'est une question de comportement: il y a l'allure, le style, les mœurs gentleman. Il faut commencer par vous gentlemaniser le corps, le maintien, le physique, Sir.

BOURGEOIS

Ah! que c'est joli ça! Vous, je sens que je vais vous aimer beaucoup.

MAÎTRE

Sir, yes Sir!

BOURGEOIS

Bravo! *(Avec accent:)* Brèvo!

MAÎTRE

Joli!

BOURGEOIS

Jolly!

PROFESSEUR

Completely off!

BOURGEOIS

Mon Dieu, que c'est beau ça! Dites encore.

PROFESSEUR

Stupid and idiot!

JOSÉPHINE

Encore! encore!

Bourgeois la toise

JOSÉPHINE

Plus-un-mot, Joséphine!

BOURGEOIS

Ce que j'ai hâte de dire tout ça aussi bien que vous. Stupide and idiot... Comment? *(Il vient de comprendre.)* Mais exactement, qu'est-ce que vous avez dit?

JOSÉPHINE

Il a dit que ça serait vraiment stupide et idiot de perdre plus de temps et que ça serait une ben bonne chose de songer tout de suite à commencer à apprendre.

BOURGEOIS

Il a dit tout ça? Bon, alors commençons.

Les deux maîtres commencent ensemble.

MAÎTRE

Je propose, Monsieur, que nous nous mettions tout de suite en position de détente... position de détente... position de détente...

29

PROFESSEUR

First, Sir, I must inquire by which language we wish to start: que lingua vamos hablar hoy? Parla un poco italiano, signor? Lingua mater patris.

JOSÉPHINE, *sur un ton de vêpres*

A-men!

MAÎTRE

Première position de ballet. Souvenons-nous que les mouvements de la danse sont à la base de tous les mouvements du corps.

BOURGEOIS

Maître... maître...

MAÎTRE

Harmonie d'abord.

JOSÉPHINE, *qui se met en position de ballet*

Y a-t-i' point un peu de musique pour accompagner cette harmonie-là?

PROFESSEUR

Lingua harmonia populorum.

JOSÉPHINE *chante*

Per omnia popula populorum.

BOURGEOIS

Mes maîtres!... mes maîtres!...

MAÎTRE

Deuxième position!

PROFESSEUR

Hablamos espanol.

JOSÉPHINE

Si, Senor!

MAÎTRE

Repos!

JOSÉPHINE

Merci, Monsieur!

BOURGEOIS

Ça suffit! c'est assez! assez!

PROFESSEUR

Parla italiano?

JOSÉPHINE

Shut up!

PROFESSEUR

Oh! disgusting!

BOURGEOIS

Discussing, discussing... c'est pas une discussion, ça, c'est du crachat de poule. Je vous ai mandés ici

aujourd'hui, Messieurs, pour m'enseigner par les métho-
des les plus rapides et les chemins les plus courts à
changer de vie. Je veux apprendre l'anglais, et apprendre à vivre et à me comporter comme mes collègues
du Conseil des Patrons. C'est tout. Et vous serez payés
pour ça. Maintenant à l'œuvre. Et que j'en prenne plus
un seul en position de ballet, ni à me baragouiner du
grec ou de l'espagnol. Je veux connaître l'anglais, le
style anglais, la manière de vivre anglaise avant de déménager à Westmount. Voilà mes dernières volontés.

JOSÉPHINE

Ah! mon Dieu!

BOURGEOIS

Qu'est-ce qu'y a encore? Qu'est-ce qui te prend,
Joséphine, ma servante? Je peux pas déménager à
Westmount si ça me chante?

JOSÉPHINE

Si, señor, si! À Rome même, quand vous voudrez.

BOURGEOIS

En ce cas-là, tais-toi.

JOSÉPHINE

Je me taise.

BOURGEOIS

Alors, Messieurs...

JOSÉPHINE

Plus un mot.

BOURGEOIS

Elle va pas se taire !

JOSÉPHINE

Si, c'est déjà fait.

BOURGEOIS

Enfin.

JOSÉPHINE

Pourtant, si j'avais pu au moins vous dire...

BOURGEOIS

Bon ! dis-le à la fin...

JOSÉPHINE

C'est que vous avez parlé de vos derniéres volontés et ça m'a donné maniére d'un choc. Par rapport
que malgré toutes vos maniéres, et vos fantaisies, et
votre caractère de chien, moi, je vous aime bien quand
même, et ça m'a fait comme queque chose de vous
entendre faire tout d'un coup votre testament.

BOURGEOIS

Elle est folle !

33

PROFESSEUR

Vous confondez à tort testament et dernières volontés, Mademoiselle. Les deux expressions, souvent confondues, ne sont pourtant pas synonymes.

MAÎTRE

Pendant qu'il discourt sur les synonymes, nous pourrions peut-être faire de petits exercices des avant-bras et des épaules, pour tâter notre résistance.

BOURGEOIS

Ah! pour la résistance, j'en ai. Allons-y.

MAÎTRE

Vous roulez comme ceci les omoplates...

PROFESSEUR

Pas avant d'avoir appris à rouler les «r»... Priorité à l'esprit.

MAÎTRE

Un esprit sain dans un corps sain.

PROFESSEUR

Vanitas vanitorum! Omnia sunt vanitas!

JOSÉPHINE

Per omnia saecula saeculorum.

BOURGEOIS

Ça va pas recommencer? Taisez-vous.

JOSÉPHINE

Plus un mot.

PROFESSEUR

En ce cas, je me retire.

MAÎTRE

Pas avant moi.

Les deux vont sortir.

BOURGEOIS

Messieurs! Messieurs les professeurs!

PROFESSEUR

Vous désirez?

MAÎTRE

Vous m'avez appelé?

BOURGEOIS

Écoutez, mes petits maîtres. Personnellement, je n'ai rien contre l'Esprit-Saint, ni le panis angélicus, ni aucune de vos spécialités du corps ou de l'esprit. Mais, je vous ai fait venir pour m'enseigner l'anglais et quelques sports ou divertissements qui se pratiquent dans la société où je m'apprête à déménager. Voilà tout ce que je vous demande. Je veux entrer à Westmount par la grande porte, comme l'un des leurs, c'est tout.

...

C'est fini le temps où l'on m'expliquera mes propres affaires dans une langue que je ne comprends pas; où l'on usera avec moi de manières que je ne connais pas; où l'on prendra mon argent pour investir dans une vie que je ne partagerai pas. Vous comprenez ça? Vous comprenez qu'un homme en ait assez de vendre des claques à la paire, pièce par pièce, durant quinze ans, pour finir par aller s'asseoir au bord de la piscine des autres, et se faire servir du thé sur la pelouse des autres, en regardant les autres jouer au bridge en buvant leur Scotch whiskey on the rocks? Vous comprenez que le jour où il en a les moyens, un homme soit tenté de l'acheter leur whiskey, et leur piscine, et leur pelouse de Westmount. Eh bien voilà. Moi, aujourd'hui j'en ai les moyens. Et j'achète.

JOSÉPHINE

Et on déménage!

BOURGEOIS

Oui, on déménage, on déménage à Westmount, si ça peut te faire plaisir.

JOSÉPHINE

Si c'est pour me faire plaisir, donnez-vous point toute cette peine. Moi je me contenterais de Pointe-aux-Trembles où c'est que vit la moitié de mon monde.

BOURGEOIS

Pointe-aux-Trembles! Vous l'entendez? Mais as-tu perdu la tête? Et pour trouver quoi à Pointe-aux-Trembles!

JOSÉPHINE

Un petit coin de fleuve qui ressemble à de l'eau, même si c'est point la mer; des arbres qui rougissent à l'automne et qui poussent des bourgeons au printemps; des petites maisons de pierre ou de bois avec une galerie sur le devant-de-porte et un coin de terre derriére pour se faire un jardinage; pis des voisins, des voisins et de la parenté pour t'ostiner, t'engueuler, et te chamailler, et t'appeler des noms, et pour tricher aux cartes. Une personne peut-i' faire tout ça à Westmount?

À ce récit, le Bourgeois s'est petit à petit laissé attendrir. Mais à la fin il se ressaisit.

BOURGEOIS

Elle perd la tête, elle perd la tête! Et elle finira par tous nous la faire perdre aussi. Va-t'en à la cuisine, Joséphine, et laisse-nous apprendre en paix.

JOSÉPHINE

À la cuisine, Joséphine; à l'office, Jean-Batisse!

Comme elle va sortir, entre Jacques.

Les mêmes plus Jacques.

JACQUES

Monsieur, vos habits sont arrivés.

BOURGEOIS

Ah! James, tu me sauves la vie.

JACQUES, *qui cherche*

Qui ça?

JOSÉPHINE

James, idiot, James. Étais-tu point présent à ton baptême, batêche!

Elle sort.

JACQUES

Ah pardon! Yes Sir, présent!

BOURGEOIS

Apporte-moi tout ça, que je voie la mine qu'on a quand on est gentleman. Ne vous éloignez pas, Messieurs. Je veux que vous m'aidiez à entrer dans ma nouvelle peau. Nous serons alors en meilleure forme pour étudier. Qu'est-ce qui est écrit sur l'étiquette?

JACQUES

Gold n' Gold, M'sieur.

38

BOURGEOIS

Ah! comme c'est beau ça! Ça sonne comme de l'or. Gold n' Gold! Mais j'y pense, l'un des fils Gold n' Gold était ce matin au Conseil. Il fait des affaires en or, ce gamin-là. Voyons ça.

JACQUES

Avant de livrer la marchandise, il m'a obligé à signer ce papier, M'sieur. Je savais que vous attendiez, ça fait que...

BOURGEOIS

Ça va, ça va. *(Il jette un coup d'œil sur le papier.)* Quoi?... Huit cent quatre-vingt-trois piastres et quarante-six cennes? Rien que ça?

JACQUES

Ça compte pas les fourrures qui seront livrées à part.

BOURGEOIS

Ah! les fourrures sont pas comprises! Heureusement, parce que j'aurais cru qu'on m'avait tout donné. Mais pour qui c'est qu'i' se prende, Gold n' Gold? Je vends-t-i' mes claques huit cents piastres, moi?

JACQUES

...quatre-vingt-trois et quarante-six cennes.

BOURGEOIS

Oh! parce qu'i' me fait même pas grâce des quarante-six cennes, Gold n' Gold! Déchire-moi la facture et remets tout dans les cartons.

JACQUES

Mais, M'sieur...

BOURGEOIS

Dans les boîtes!... Gold n' Gold, peuh!

JACQUES, *qui lit les étiquettes, mine de rien*

Laine des Scottish Highlands, fabrication anglaise, exportée par la maison London Picadilly Circle...

Jacques endosse une veste. Exclamation du maître. Tentation et résistance du Bourgeois.

MAÎTRE

Mais c'est un riding coat! Exactement celui du duc de Windsor au grand Derby de l'été dernier. Il a fait un effet sensationnel là-dedans.

BOURGEOIS

Comment vous avez appelé ce capot-là?

PROFESSEUR

Riding coat, qui signifiait en Angleterre veste d'équitation, est devenu redingote en passant la Manche.

BOURGEOIS

La manche seulement? Mais comment on appelle tout le capot?

PROFESSEUR

Oh my Lord!

MAÎTRE

Tout le capot s'appelle riding coat en Angleterre, mais redingote dès qu'il passe la Manche qu'on appelle, en anglais, English Channel et qui est un bras de mer.

BOURGEOIS

Ah bon! Il aurait fallu me dire le mot anglais tout de suite; channel, j'aurais mieux compris: un chenal. L'idée d'appeler un bras de mer une manche!... Mais vous croyez que je rentre là-dedans, moi?

JACQUES

Bien sûr, M'sieur, c'est fait sur mesure et sur commande. Et pis... c'est signé.

MAÎTRE

Voilà, passez le bras d'abord...

BOURGEOIS

Une manche un bras de mer... pffff!

MAÎTRE

...comme ça... attention...

JACQUES

Glissez, glissez, poussez pas...

*Jacques et le maître réussissent après bien des ef-
forts à lui passer la veste.*

MAÎTRE

Tiens! qu'est-ce que je vous disais! C'est pas
beau, ça?

PROFESSEUR

Horrible!

JACQUES

Mon maître, si je risquais pas de vous offenser,
je vous comparerais à Clark Gable.

BOURGEOIS

Qui c'est celui-là? Est-ce qu'il habite Westmount?
et qu'est-ce qu'il fait?

PROFESSEUR

Il parle l'anglais de Hollywood! Unbearable!

BOURGEOIS

Très bien, je ressemblerai à Clark Gable autant
que vous voudrez. Passez-moi le pantalon.

JACQUES

Tout de suite, m'sieur. *(À part)* Ouf! huit cent
quatre-vingt-trois piastres!

PROFESSEUR

Ce n'est pas un pantalon, car un pantalon par définition doit pendre aux talons, et celui-ci s'arrête aux genoux.

BOURGEOIS

Ah bon? Alors, comment ça se porte?

JACQUES

Aux genoux.

BOURGEOIS

Allons-y pour le pangenoux, d'abord. On est gentleman ou on l'est pas. Pangenoux, c'est beau comme tout!

On l'habille.

PROFESSEUR

Non, Monsieur, désolé, mais le mot pangenoux n'existe en aucune langue.

BOURGEOIS

C'est dommage, c'était joli. Alors comment c'est qu'on va l'appeler?

PROFESSEUR

Une culotte.

BOURGEOIS

Une quoi? Une culotte? Saperlotte! Ben j'ai porté des culottes durant toute mon enfance et je leur ai usé le fond sur tous les bancs d'école de Sainte-Pétronille. Voulez-vous me dire que je vais renfiler mes culottes pour monter à Westmount?

MAÎTRE

Mais celle-ci est une culotte d'équitation; c'est pour monter à cheval.

BOURGEOIS

Ah! parce qu'il faudra y monter à cheval en plusse.

MAÎTRE

Le cheval est pas seulement un moyen de transport et un instrument de travail; c'est aussi du sport, du sport britannique.

JACQUES

Tous les gens de Westmount montent. La montagne, le dimanche, est remplie de chevaux. Y a les Thompson, les Johnson, les Morrison...

MAÎTRE

... les Gold n' Son...

JACQUES

Et tous sont en culottes.

BOURGEOIS

Je m'habillerai donc en culottes. Passez-moi les bottes.

On le chausse.

JACQUES

Un homme à cheval, sur une montagne, voit le monde de très haut, M'sieur. Quand vous l'aurez essayé, vous voudrez plus jamais redescendre vendre des claques à Saint-Hubert.

MAÎTRE

Votre chauffeur a raison. Juché sur des bottes pareilles...

BOURGEOIS

...Je pourrai pas mettre un pied devant l'autre... Aïe! Quelle idée de me chausser deux pointures trop petites!

JACQUES

C'est la bonne pointure du cheval, M'sieur. C'est vous qui avez les pieds trop longs.

BOURGEOIS

Et on aurait pas pu me donner un cheval plus gros?

MAÎTRE

Vous n'y pensez pas! Les gros chevaux sont de vulgaires bêtes de labour. Pour l'équitation, c'est le mince et svelte cheval d'Arabie.

JACQUES

Oui, M'sieur; plus on monte, et plus on amincit sa monture.

BOURGEOIS

J'amincirai donc. Mais en attendant et tandis que je suis encore en bas, enlevez-moi quand même ces bottes-là, que je me repose les chevilles et les jarrets. Aïe!... Tiens, celles-là me paraissent un peu plus grandes.

JACQUES

Celles-là sont pas pour vous, m'sieur.

BOURGEOIS

Ah non? Et pour qui?

JACQUES

C'est les miennes.

BOURGEOIS

Les tiennes? Tu t'habilles maintenant chez Gold n' Gold, toi aussi?

JACQUES

C'est vous qui m'avez dit, M'sieur, que vous vouliez un chauffeur digne de vous de pied en cap. Vous
avez dit de pied en cap. J'ai commencé par les pieds,
la cape viendra après.

MAÎTRE

Vous avez un chauffeur très intelligent, Sir, qui
reflète bien votre image.

BOURGEOIS

Bon, bon, montre-moi quand même tes bottes, que
je me fasse le pied, petit à petit. (On lui passe des bottes western garnies d'éperons.) Ça va déjà mieux. Là-
dedans, il me semble que je pourrais monter même un
chameau. (Il se coiffe d'un chapeau mexicain, se met
une écharpe autour du cou.) Comment me trouvez-
vous, Messieurs?

Scène IV

Les mêmes, plus Mme Bourgeois.

Mme BOURGEOIS

Mon Doux Jésus fils de Marie! Mais qui a laissé
entrer la mi-carême?

BOURGEOIS

Mi-carême! *(Il cherche)* Quelle mi-carême?

Mme BOURGEOIS

Ah! c'est mon mari! Merci, Seigneur! Mais qui c'est qui t'a gréé, mon homme? Et qui c'est ça? *(Elle indique les maîtres)*

PROFESSEUR

Ça! Oh!...

MAÎTRE

Madame! *(Il salue.)*

Mme BOURGEOIS

...Bourgeois, maîtresse de céans. Et j'aimerais savoir pour quel carnaval vous habillez mon mari. Ça serait-i' la Saint-Jean-Baptiste? la Saint-Patrick? ou la parade des vétérans de la Première Guerre?

BOURGEOIS

C'est pour mon entrée dans le monde du capital et des affaires, ma femme.

Mme BOURGEOIS

Ah- ha! Ton entrée dans les affaires, hein? Mais tu sais pas encore, mon mari, que tes affaires sont les claques et que ça fait plus de quinze ans que tu y es entré? Que tu y es même entré par la petite porte, je me souviens, mais que t'as agrandi la boutique à mesure que tes claques devenaient des gumrubbers et des snow-boots, et que tu t'es mis à chausser toute la province. Tout ça c'est parfait. Mais ça m'a tout l'air que ça te suffit pas. Ç'a même tout l'air que tu vas à l'avenir te lancer dans le western. *(Elle lui regarde les pieds.)*

BOURGEOIS

Oh!

MAÎTRE

Madame, si je peux me permettre d'intervenir...

Mme BOURGEOIS

Vous vous permettrez rien du tout. Allez-vous en vendre votre carnaval ailleurs. Pas chez moi.

PROFESSEUR

Je refuse qu'on me traite de carnaval. Je suis Dr. Barry Fitchgerald Chomedey, class 1924...

Mme BOURGEOIS

Chomedey, très bien. Y a peut-être du monde à Chomedey qui veut encore courir la mi-carême. Allez-vous en à Chomedey et aux Mille-Îles, quant à être dans le boute.

Elle les chasse.

PROFESSEUR

Outrageous!

MAÎTRE

C'est inadmissible.

BOURGEOIS

Messieurs ! Messieurs ! Attendez !

Les deux maîtres sortent.

BOURGEOIS, *bas à Jacques*

Va vite les reconduire et tâche d'arranger ça... Et n'oublie pas de prendre Sir Harold à Westmount.

Scène V

M. et Mme Bourgeois.

BOURGEOIS

T'as réussi ton grand ménage de la maison. T'es contente ?

Mme BOURGEOIS

Oui, je suis contente.

BOURGEOIS

Bon, elle est contente. Et après, ça prendra quoi pour la contenter ? Peut-être que je renonce à la présidence de la Bourgeois Shoe Industry et que je devienne laitier, pompiste ou chemineau, comme les gars du boute; pis après elle m'amènera au bingo dans le soubassement de l'église, tous les mardis; pis, je vendrai la Rolls Royce et je chasserai le chauffeur qui est à mon service depuis plus d'un an.

Mme BOURGEOIS

Tu songes bien à renvoyer la servante qui est depuis quinze ans dans la maison.

BOURGEOIS

C'est pas pareil; Jacques me respecte, Joséphine est une effrontée. Et pis quinze ans c'est trop; ça commence à me déplaire.

Mme BOURGEOIS

Joséphine voit clair et c'est ça qui te déplaît. Tu veux la remplacer par une étrangère qui parlera même pas ta langue pour être sûr qu'elle se moquera pas de tes folies et tes idées de grandeur.

BOURGEOIS

Mes idées de grandeur! Comme ça un homme qui cherche à progresser dans la vie, et à s'élever au-dessus de sa condition pour devenir quelqu'un lui aussi, et grimper chaque jour un barreau de l'échelle sociale et économique qui le conduira au sommet, au top, avec les plus hauts et les meilleurs...

Mme BOURGEOIS

Ah! parce qu'à ton avis, ceux-là qui sont au top, comme tu dis si bien, sont les meilleurs! Comme ça, pour être meilleurs et mieux que tout le monde, il faut changer de quartier, changer de langue, changer de mœurs et s'habiller en... en Turc!

BOURGEOIS

L'Évangile dit qu'il faut se faire Grec avec les Grecs...

Mme BOURGEOIS

Alors va-t'en sur l'avenue du Parc si tu veux te faire Grec; pas nécessaire de grimper la Montagne.

BOURGEOIS

Ce que tu peux être lourde et épaisse, ma femme, quand tu veux pas comprendre!

Mme BOURGEOIS

Je comprends que trop. Je comprends que tu fréquentes des gens qui te remplissent la tête de chimères, tandis qu'ils se remplissent les poches de ton argent.

BOURGEOIS

Heh! j'aimerais bien savoir de qui tu veux parler.

Mme BOURGEOIS

Je veux parler de celui qui t'a déjà emprunté ton argent sans intérêt et qui en plusse a l'intention de pas te le rendre.

BOURGEOIS

Il faudrait pouvoir le nommer pour que j'y croie.

Mme BOURGEOIS

Pour pouvoir le nommer, faudrait qu'il ait un nom de chrétien comme Bouchard ou Bourgeois, et pas... ha-ha-haugh!

BOURGEOIS

Quand on sait pas prononcer le nom des gens, on ne les accuse pas. T'aurais grand besoin de suivre toi aussi des leçons d'anglais, ma femme.

Mme BOURGEOIS

Hah! pour qu'il y en ait une de plus dans la famille à dire «thank you very much» à tout le monde? C'est pas assez que je sois obligée d'aller acheter mon lard salé en Rolls Royce; et me faire conduire par le chauffeur chercher ma pinte de lait; et servir du five o'clock tea à mon club de whist le mardi, faudra à l'avenir angliciser tout ça? Ça suffit comme ça. J'ai assez d'esprit et de jarnigoine pour prendre le train deux fois par année pour Old Orchard et m'acheter mes tentures et mes tapis chez Eaton, pis à Ogilvy's; et dire merci à ceux qui me traitent bien et merde aux autres.

BOURGEOIS

Comme tu viens de faire à mes deux professeurs en les mettant joyeusement à la porte.

Mme BOURGEOIS

Pas joyeusement, en maudit. Qu'est-ce que t'as besoin, à ton âge, de professeurs? Pourquoi tu t'inscris pas au Collège plutôt? T'auras juste à te présenter à l'inscription d'automne et aux examens du printemps; le reste du temps, tu feras comme les autres: tu courras la Hollowe'en, le Mardi-Gras, la Mi-Carême et tu mèneras la parade de la Saint-Jean-Baptiste...

BOURGEOIS

Heh! quand on a pas d'instruction on se mêle pas de parler d'éducation.

Mme BOURGEOIS

Quand on habite Rosemont, on s'habille pas en grec et on apprend pas à jouer au golf dans la cave.

BOURGEOIS

Dans la cave, ignorante! Dans des trous... des petits trous.

Mme BOURGEOIS

Ça c'est pour les experts, les petits trous; mais les débutants ont besoin de lancer des petites balles dans des gros trous. Une cave. Tu sauras, mon homme, qu'on monte pas à Westmount en raquettes.

BOURGEOIS

On y monte à cheval.

Mme BOURGEOIS

V'là le restant!

BOURGEOIS

Un homme à cheval, le dimanche, sur une montagne, voit le monde de très haut et il n'a plus le goût de vendre des claques à Saint-Hubert.

Mme BOURGEOIS

Il est fou! Depuis quand tu vends des claques le dimanche à Saint-Hubert? et à cheval? (*Elle jette un regard à la facture et lit:*) Huit cent quatre-vingt-trois et quarante-six... Quoi? T'as payé passé huit cents piastres pour ta mascarade?

BOURGEOIS

Ça compte pas les fourrures.

Mme BOURGEOIS

Et il s'en vient de la fourrure en plusse! Comme ça, mon homme, qui encore hier se moquait des jeunesses débraillées d'aujourd'hui, va s'en aller dimanche à la messe habillé en Davy Crockett? C'est ça l'exemple que t'as l'intention de donner à ta fille?

BOURGEOIS

C'est à ma fille que je pense, au contraire. C'est pour elle et pour son avenir que je travaille jour et nuit depuis quinze ans. Après ça, Lucille, notre seul enfant, aura le droit de demander le meilleur à la vie, comme les autres. Pourquoi ça serait les enfants des autres qui bâtiraient le pays? J'ai pas pioché durant toutes ces années pour ramasser une jolie fortune qui servira à personne. C'est à notre tour de vivre. Écoute ça: Jean-Baptiste Bourgeois, millionnaire! Ça sonne pas bien, ça? En une génération! Tu voudrais qu'on aille perdre ce qu'on a acquis! Non, non. Il faut continuer, continuer à grimper. Lucille doit fréquenter à l'avenir les gens de son monde et vivre comme une vedette de la Revue Moderne.

Mme BOURGEOIS

Il est fou, ma parole! La semaine dernière c'était la Lily Saint-Cyr qu'était en première page de la Revue Moderne. Et puis pour te rafraîchir les idées, mon homme, je dois t'annoncer tout de suite que notre fille, Lucille, me semble avoir d'autres ambitions depuis quelques mois que d'afficher sa frimousse dans les magazines. Elle est amoureuse, ta fille Lucille.

BOURGEOIS

Nom de Dieu! en amour?

Mme BOURGEOIS

Amoureuse en amour, c'est ça.

BOURGEOIS

Avec qui?

Mme BOURGEOIS

Un garçon.

BOURGEOIS

Mais oui, un garçon; mais quel garçon?

Mme BOURGEOIS

Ah!... ça c'est son secret. Aucun nom, aucun indice, sauf qu'elle est en amour, ça c'est sûr.

BOURGEOIS

Et comment le sais-tu, si elle t'a rien dit?

Mme BOURGEOIS

Voyons, mon mari, t'es donc devenu si lourd et si carré depuis que t'as changé de camp? Lucille soupire, rêvasse, languit, fixe le plafond et laisse tout dans son assiette.

BOURGEOIS

Ça prouve rien. Et ça y passera.

Mme BOURGEOIS

Mais pourquoi faudrait-il que ça lui passe? À son âge, elle a bien le droit d'aimer, ça me semble.

BOURGEOIS

Oui, elle a droit, mais pas à cet amour-là.

Mme BOURGEOIS

Tu sais même pas qui.

57

BOURGEOIS

Justement, je sais même pas qui. On va pas laisser courir notre fille avec je-sais-pas-qui.

Mme BOURGEOIS

Hey, hey, Jean-Baptiste, tu vas pas te mettre à contrecarrer les amours de ta fille en plusse? Même les Anglais aiment, on aime même à Westmount.

BOURGEOIS

C'est ça, on aime à Westmount. Et je lui trouverai bien un mari là-bas quand nous serons déménagés.

Mme BOURGEOIS

Jamais! jamais je consentirai à ça, mon mari, tu m'entends? Ma fille épousera qui elle voudra où elle voudra, mais quelqu'un de sa race et de son monde que j'y aurai choisi moi-même. Si tu penses que j'ai le goût de m'en aller manger du roast-beef et de la plum pudding chez mon gendre; et d'entendre la belle-mère me parler de son enfance dans le Yorkshire ou à Winnipeg; et prendre sur mes genoux des petits-enfants qui m'appelleront grannie et qui comprendront pas quand je leur chanterai la poulette grise a pondu dans l'église (*Elle chante et sanglote*).

BOURGEOIS, *attendri*

Voyons, ma cocotte, nous marierons notre petite Lucille à un riche héritier, bien habillé dans la laine écossaise, monté sur un beau cheval...

Mme BOURGEOIS

Un cheval! La fille unique à Jean-Baptiste Bourgeois qui a si bien réussi dans le commerce en ville qu'il a même un chauffeur, et elle s'en irait se marier en cariole et en châle de laine comme sa grand-mère, la fille à Jean-Baptiste? Elle se mariera en blanc, dans sa paroisse, avec des confetti, et des banderoles sur la voiture, et elle montera la grande allée au bras d'un beau gars du pays qu'elle aura elle-même choisi, j'y verrai. Ça sera pas dit qu'on aura trimé si longtemps avec notre monde pour nous ramasser de l'argent, pour ensuite nous en aller le dépenser chez les autres. Non! Il doit encore y avoir, au pays, un moyen de manger notre ragoût de pattes du dimanche sans le faire cuire dans la casserole des étrangers. Voilà ce que je dis.

Elle sort et croise Joséphine.

Scène VI

Bourgeois et Joséphine.

JOSÉPHINE

Pauvre femme! encore une dispute avec son gentleman. *(Elle aperçoit le Bourgeois.)* Ha, ha!... hi, hi!... Mais c'est pas vous qu'est là-dedans?

BOURGEOIS

Qui vous? et dans quoi?

59

JOSÉPHINE

Attendez que je vous touche... Mais ma grand foi oui, c'est lui! Hi, hi!...

BOURGEOIS

C'est ben, Joséphine, la séance est finie.

JOSÉPHINE

Ah! bon, c'était une séance! J'aurais dû m'en douter, itou. Ben faut dire, Monsieur, que moi qui vous avais jamais vu dans une séance... hi, hi!... ça c'est la plus drôle... ho, ho!

BOURGEOIS

T'as bientôt fini de te moquer des gens, effrontée?

JOSÉPHINE

Mais puisque je vous dis que vous êtes drôle hi, hi!... je vous jure, Monsieur, que vous êtes formidable. Tizoune et Balloune à côté de vous... (Elle rit aux larmes.)

BOURGEOIS

Je vais me fâcher, Joséphine.

JOSÉPHINE

Je vous promets de faire de l'annonce et on va remplir le Stella pis le Gaîté.

BOURGEOIS

Jo-sé-phine!

JOSÉPHINE

À votre service, Monsieur... hi, hi!...

BOURGEOIS

Tu m'écoutes?

JOSÉPHINE

Oui, je vous écoute... hi, hi!...

BOURGEOIS

Tout à l'heure, quelqu'un...

JOSÉPHINE

Hi, hi!... s'il vous plaît, hi, hi. Tournez-vous une petite affaire...

BOURGEOIS

Comment?

JOSÉPHINE

Tournez-vous pour me parler.

BOURGEOIS

Me tourner? Mais pourquoi?

JOSÉPHINE

Hi, hi!... pour pas vous rire au nez, hi, hi!

BOURGEOIS

La garce!

JOSÉPHINE

Et je vous reconnais plusse de dos.

BOURGEOIS, *lui parlant de côté*

Je disais donc que tout à l'heure...

JOSÉPHINE, *qui avale son rire*

Monsieur, ces choses que vous avez aux pieds... vous en avez jamais fabriqué à votre usine de claques?

BOURGEOIS

Ces choses s'appellent des éperons, ignorante, et ça se porte sur des bottes.

JOSÉPHINE

Ah!... Et ça sert à quoi?

BOURGEOIS

À fouetter le cheval.

JOSÉPHINE

Quel cheval?

BOURGEOIS

Le mien, nigaude.

JOSÉPHINE

Mais vous avez point de cheval.

BOURGEOIS

J'aurai un cheval, plusieurs même, une écurie s'il faut. Mais revenons à nos moutons.

JOSÉPHINE

Des moutons en plusse? Ah non, j'ai point quitté la grange à mon pére pour atterrir en ville dans une étable.

BOURGEOIS

Pauvre folle!

JOSÉPHINE

La premiére borbis ou le premier cheval qui met les pieds icitte, je sors.

BOURGEOIS

Tu sortiras peut-être avant ça, ma fille.

JOSÉPHINE

Tant mieux! parce que là je commence à en avoir assez, moi.

BOURGEOIS

Assez de quoi?

JOSÉPHINE

Assez de vos folleries, vos fantaisies, vos séances et vos charivaris.

BOURGEOIS

Écoutez-la faire la leçon aux autres, alors que ça sait même pas nommer des éperons, ni une redingote; ni distinguer le gros cheval de labour du petit cheval mince d'Arabie; ni... tiens! ça, ça *(Il indique son entre-jambes)* tu sais ce que c'est? *(Joséphine reste sidérée.)* Ça que j'ai entre les jambes, tu sais comment ça s'appelle, inculte?

JOSÉPHINE, *balbutiant*

Ça... ça...

BOURGEOIS

Ça s'appelle des culottes, grande ignorante.

JOSÉPHINE, *qui s'évente*

Ah! des culottes!... Ce que c'est beau l'instruction! Et vous avez appris tout ça tout d'un coup, en si peu de temps?

BOURGEOIS, *qui s'aperçoit qu'elle se moque de lui*

Ça suffit. Là tu vas me préparer mes habits qu'on a livrés tout à l'heure.

JOSÉPHINE

Parce qu'y en a d'autres.

BOURGEOIS

...Tu vas tout sortir des cartons et t'assurer qu'il manque pas un bouton...

JOSÉPHINE

... et qu'on a enlevé les prix et les étiquettes...

BOURGEOIS

Non, laisse quand même quelques étiquettes de laine des Scottish Highlands de Londres. Qu'on voie ça un peu au revers du collet.

JOSÉPHINE

Si vous portiez le capot à l'envers, ça se verrait encore mieux.

BOURGEOIS

Sors-moi tout ce qu'il y a de plus chic. Ça me coûte assez cher pour que je commence à m'habiller tout de suite.

JOSÉPHINE

Ça c'est point une mauvaise idée.

BOURGEOIS, *avec sous-entendu*

Et puis, on n'est jamais trop vieux pour recommencer sa vie.

JOSÉPHINE, *soupçonneuse*

Tiens, tiens, ça me sonne étrange ça...

BOURGEOIS

Hé... Joséphine... Dis-moi un peu, si t'étais une femme...

JOSÉPHINE

Oh !

BOURGEOIS

Je veux dire une jeune femme, une belle femme... et que tu m'apercevais pour la première fois, un soir, vêtu dans mes habits de Gold n' Gold, m'approcher de toi...

JOSÉPHINE

Je crierais !

BOURGEOIS

Folle ! Bon, laisse faire, laisse faire...

JOSÉPHINE

Ben quoi c'est que vous vouliez que je vous dise ?

BOURGEOIS

Plus rien. Je demanderai ça à quelqu'un qui a du goût et qui s'y connaît en mâle séducteur...

JOSÉPHINE

Seigneur Jésus, prenez pitié !

BOURGEOIS

...en virilité agressive...

JOSÉPHINE

Mais, Monsieur, c'est peut-être point de mes affaires, mais Mme Bourgeois a point eu l'air tantôt, quand c'est qu'elle a aperçu votre virilité agressive, de timber dans les pommes.

BOURGEOIS

Mme Bourgeois a rien à voir là-dedans.

JOSÉPHINE

Ah bon? Alors ça serait-i'...

BOURGEOIS

Ça serait-i'... ça serait-i'... rien pantoute. Et t'as raison, Joséphine, ma servante, tout ça, c'est pas de tes affaires.

JOSÉPHINE

Ben, un boute c'est de mes affaires, un boute ça l'est plus. Faudrait vous décider, M. Bourgeois, mon patron.

BOURGEOIS

Appelle-moi plus patron, mais Sir.

JOSÉPHINE

Bien, mon patron.

BOURGEOIS

Sir!

JOSÉPHINE

Sir! yes Sir, patron.

BOURGEOIS

Et maintenant, laisse-moi seul, j'attends quelqu'un d'important.

JOSÉPHINE

Il est là depuis une bonne escousse dans le hall d'entrée qui vous attend, ce quelqu'un d'important.

BOURGEOIS

Quoi? Il est là et tu m'en as rien dit?

JOSÉPHINE

J'étais venue icitte pour vous l'annoncer, justement; mais c'est votre séance qui m'a chaviré les esprits. J'en ai oublié l'Empire britannique, moi.

BOURGEOIS

Saperlotte! Tout ce temps-là dans l'entrée! Sir Harold! Sir Harold de Westmount! Sors d'ici, vaurienne de mal élevée!

Elle va sortir, mais revient.

JOSÉPHINE

Est-ce que je vous laisse le temps d'aller vous habiller?

BOURGEOIS

M'habiller?

JOSÉPHINE

C'est que lui, il est à pied; et vous êtes à cheval.

BOURGEOIS

Ah oui, c'est vrai. Fais-le entrer ici et demande-lui de m'excuser, je ferai vite. *(En sortant.)* Tu me paieras ça un jour, grand' garce!

JOSÉPHINE

Yes, Sir!

Scène VII

Joséphine (au début), Sir Harold et Jacques.

JOSÉPHINE

Sir Harold Featherstonehaha... ha... ha...

Sir Harold entre, suivi de Jacques.

69

Sir HAROLD

Featherstonehaugh!

JOSÉPHINE

Haugh!... haug!

Sir HAROLD

Mister Bourgeois n'est pas là?

JOSÉPHINE

Pas là.. hah!... Ben il va reviendre ben vite. Prenez une chaise. Il m'a donné ordre de vous demander de l'excuser. Il est parti se changer de culottes.

Sir HAROLD

Oh!... Thank you.

JOSÉPHINE

Very much.

Sir Harold s'asseoit.

JOSÉPHINE, *solennelle*

Scotch whiskey on the rocks?

Sir HAROLD

O' course, o' course, Mâ deah!

JOSÉPHINE

A-a-a-a... *(qui se termine en grimace. Puis bas à Jacques:)* Laisse-le pas toucher à rien. Le patron va point tarzer. *(Elle sourit à Sir Harold.)* A-a-a-a-a-ô-ô-revoir!

Elle sort.

Sir HAROLD

What a pity! The maid?

JACQUES

Made in New Brunswick.

Sir HAROLD

Oh! I see. Tell me, James... James!

JACQUES

Oh! pardon! Sir?

Sir HAROLD

You are smart, James. Je crois que nous deux, nous pouvons faire de grands choses ensemble.

JACQUES

Excusez-moi...

Sir HAROLD

Si, si, j'ai besoin d'un jeune homme comme vous à mon service.

JACQUES

Oh moi, M'sieur, je suis très bien ici chez les Bourgeois. Et puis... (*Il soupire et sourit.*)

Sir HAROLD

Mais, je ne veux pas vous arracher au Bourgeois; au contraire, vous me servirez mieux dans cette maison.

JACQUES

En ce cas-là, tout ce que vous voudrez.

Sir HAROLD

Je veux d'abord que vous me juriez que tout ce que nous allons discuter reste entre nous, entre hommes. Et en échange de quelques petits services, je pourrai peut-être plaider pour vous auprès de votre patron. Combien désirez-vous, James?

JACQUES

Combien?

Sir HAROLD

Combien d'augmentation par semaine? Je peux parler à M. Bourgeois.

JACQUES

Oh! je demande rien, moi. C'est pas de l'argent que je veux, je...

Sir HAROLD

Ah!... On veut plus de liberté? moins d'heures de travail?

JACQUES

J'aime mon travail... je...

Sir HAROLD

Alors c'est la voiture, la Rolls n'est pas à votre goût?

JACQUES

Ha! mais non... je roulerais une Ford tant qu'à moi.

Sir HAROLD

Je ne comprends pas. Que voulez-vous?

JACQUES, *timide*

Me marier....

Sir HAROLD

Oh! what a pity!... Bon, bon, si c'est rien que ça... Vous avez choisi?

JACQUES

Si, mais c'est là que ça se complique.

Sir HAROLD

Et pourquoi?

JACQUES

À cause du patron. Il voudra pas.

Sir HAROLD

Bah! j'arrangerai ça.

JACQUES

Ça sera pas si facile que vous croyez; elle est riche et moi...

Sir HAROLD

Magnifique! Voilà juste ce qu'il faut pour plaire au Bourgeois. Vous grimperez dans l'échelle sociale, comme lui. Et un jour, vous lui grimperez même sur la tête, l'imbécile.

JACQUES

Jamais de la vie! Je veux grimper sur la tête de personne. Pourvu seulement que...

Sir HAROLD

Tut-tut-tut! On verra ça plus tard. Pour le moment, je me charge de votre certificat de mariage. Êtes-vous content?

JACQUES

Oh! M'sieur, si vous faites ça... je ferai pour vous n'importe quoi.

Sir HAROLD

Parfait. Je vous demande seulement...

JACQUES

Sauf que... je voudrais pas trahir mon maître.

Sir HAROLD

Pas question de ça. Vous allez seulement m'aider à étouffer ses scrupules.

JACQUES

Lui, des scrupules?

Sir HAROLD

Hé oui, il aime une femme mais il n'ose pas se l'avouer. Alors il se donne mille prétextes pour ne pas la rencontrer.

JACQUES

Moi, c'est juste le contraire. Mais je savais pas que M. Bourgeois...

Sir HAROLD

... Que M. Bourgeois avait un cœur, aussi? Une femme splendide, superbe, une véritable catastrophe! *(À lui-même)* Quand on l'a eue sur les bras dix ans, on est complètement hors d'haleine et ruiné. Let someone else pay. *(À Jacques.)* Vous allez m'aider, James, à organiser des rencontres de manière à... *(À lui-même:)* à mes pieds, le banquier.

JACQUES

Vous voulez dire que moi...

Sir HAROLD

Nous verrons ça ensemble, James. Il s'agit dans les circonstances, de se tenir, entre hommes, et se donner un coup de pouce.

JACQUES, *complètement dépassé*

Moi, dans ces affaires-là...

Sir HAROLD

Vous pouvez être très adroit, en connaisseur que vous êtes. Ce mariage, James...

JACQUES

Oui... oui, bien sûr...

Sir HAROLD

En plus, il faudra promener notre homme dans la montagne, certains jours que je vous indiquerai, et à des endroits précis, autour d'un domaine qu'il choisira de préférence à d'autres...

JACQUES

Oui, il veut s'acheter une maison là-bas. Il fouille tous les jours les pages d'annonces dans la Presse...

Sir HAROLD

Il faut brûler la Presse, James.

JACQUES

... et dans La Patrie.

Sir HAROLD

Brûler aussi La Patrie. Un homme comme lui doit se choisir un domaine sur les lieux, choisir la troisième maison de l'Avenue Beartrap à gauche vers le nord... Compris?

JACQUES

Compris, M'sieur.

HAROLD, *à part*

C'est une vieille chose qui a une façade à jeter suffisamment de poudre aux yeux pour aveugler n'importe quel nouveau riche... Enfin, James, puisqu'il était question de mariage, parlez-moi un peu de la fille de la maison.

JACQUES

La maison de Westmount?

Sir HAROLD

Mais non, voyons, la fille de M. Bourgeois.

JACQUES

Lucille! Ah! Monsieur, si vous saviez! C'est une fille... pas comme les autres.

Sir HAROLD

Elle est assez jolie, comme j'ai pu le constater.

JACQUES

Assez, c'est pas le mot.

Sir HAROLD

Et adroite, fine.

JACQUES

Elle vous a à tout coup.

Sir HAROLD

Son caractère? Capricieux?

JACQUES

Oui, pour ça, elle a des petits caprices, mais ça finit toujours par s'arranger.

Sir HAROLD

Bon, bon. Et elle a plusieurs amoureux, prétendants?

JACQUES

Hé, Monsieur!

Sir HAROLD

Oh! faut pas vous scandaliser, jeune homme. Vous qui vous préparez à vous marier, renseignez-vous un peu sur les femmes. Elles sont rarement très fidèles.

JACQUES

Lucille, en tout cas...

Sir HAROLD

Bon, bon, tant mieux. Ça la rend encore plus attirante, plus séduisante.

JACQUES

Alors, Monsieur, si vous voulez parler de moi au patron... À vous, il ne refusera rien.

Sir HAROLD

Vous faites tout ce que je vous demande, James, et je vous promets que le jour où M. Bourgeois rentre à Westmount, vous épousez... Attention! je crois qu'il s'en vient.

Scène VIII

Les mêmes, plus le Bourgeois en habit de ville des plus extravagant.

Sir HAROLD

Aaaaah! Mr. Bourgeois! Comment se porte mon meilleur ami?

BOURGEOIS

Oooooooh! Sir Harold! moi, votre meilleur ami! Jean-Baptiste Bourgeois de Rosemont, le meilleur ami de Sir Harold Featherstonehaugh de Westmount! J'en suis tout ébarroui.

Sir HAROLD

Restez ébarroui, Mr. Bourgeois, mais laissez-moi seulement vous redire toute mon amitié et tout l'intérêt que je vous porte, à vous et à votre maison.

BOURGEOIS

Merci pour ma maison, Sir Harold.

Sir HAROLD

L'intérêt que je porte à votre fille, à votre femme...

BOURGEOIS

Un ami comme vous c'est un cadeau du ciel. Merci à mon père et ma mère qui sont plus généreux avec moi morts qu'en vie.

Sir HAROLD

Vos parents sont morts ? Ah ! quelle tristesse !

BOURGEOIS

Ça fait passé vingt ans.

Sir HAROLD

Oh, pardon !

BOURGEOIS

De rien. C'est depuis ce temps-là que mes affaires vont bien.

JACQUES, *pour attirer l'attention de Sir Harold*

Hum... hum...

Sir HAROLD, *qui comprend*

J'aurais une petite grâce à vous demander aujourd'hui, mon ami.

BOURGEOIS

Vous? à moi? Une grâce? Vous me gênez, mon ami, tout ce que je peux faire pour vous... c'est promis d'avance.

Jacques est tout confiant.

Sir HAROLD

Oh! mais ce n'est pas pour moi.

Jacques est au comble de l'excitation.

BOURGEOIS

Ça serait-i' pour mon pire ennemi.

Sir HAROLD

Au contraire, c'est pour quelqu'un de très près de vous.

BOURGEOIS

Raison de plus. Mais vous me mettez l'eau à la bouche.

Sir HAROLD

C'est pour vous-même.

BOURGEOIS

Pour moi?

Sir HAROLD

Oui, je veux faire votre bonheur, même malgré vous. Cette femme que vous avez scrupule à aimer... oui, oui, ne protestez pas, je connais votre délicatesse... c'est pour vous une question de morale... morale dépassée, entre nous, morale désuète... Je suis là pour vous affranchir, pour vous guérir de votre passé.

BOURGEOIS

Ah! ce qu'on sait parler dans ce monde-là!

JACQUES, *déçu*

Ouais... on sait parler.

Sir HAROLD, *qui a entendu Jacques*

Et pour vous le prouver, je vais aussi faire quelque chose pour les gens de votre service.

Jacques reprend courage.

BOURGEOIS

Ah bon?

Sir HAROLD

James, votre chauffeur, qui vous est si fidèle, si attaché, mérite qu'on s'occupe de lui.

BOURGEOIS

Ça c'est vrai, je l'augmenterai.

Sir HAROLD

Non, non, non, mieux que ça...

JACQUES

Merci, Monsieur.

Sir HAROLD

Nous allons l'associer à notre petite aventure. C'est lui qui sera notre agent de liaison auprès de Lady Guendolyn Twickenheim, votre maîtresse.

JACQUES, *bas*

De la marde !

Sir HAROLD

Je m'arrange pour vous la présenter...

BOURGEOIS

Ma maîtresse... ma maîtresse. C'est bizarre comme ce mot-là s'accroche dans ma fausse dent et que je n'arrive pas à le prononcer sans me faire mal aux gencives.

Sir HAROLD

Elle viendra donc ici...

BOURGEOIS

Ici ?...

Sir HAROLD

Du calme, be quiet, Sir. Elle vient sous des apparences fort inoffensives. Elle viendra pour la décoration intérieure.

JACQUES, *à part*

Mon cul!

BOURGEOIS

Mais... est-ce qu'il faut tout ça pour devenir gentleman?

Sir HAROLD

Songez à votre prestige, à votre standing.

BOURGEOIS

Le standing... c'est vrai. Faut se tenir debout. Stand up!... Est-ce qu'elle est jolie au moins?

Sir HAROLD

Lady Guendolyn? Une splendeur! Une colonne grecque!

BOURGEOIS

Ah! oui?... Vous pourriez pas m'en trouver une plutôt... potelée... comme l'Oratoire Saint-Joseph?

JACQUES, *à part*

Christ d'Oratoire!

HAROLD

Lady Guendolyn a des yeux de panthère et des hanches de chatte...

BOURGEOIS

Et des griffes?...

HAROLD

Oh! Lady Guendolyn!

BOURGEOIS

Guendo... Elle aurait pas un autre petit nom plus abordable, comme Fifine, Babette, ou Cocotte?

HAROLD

Lady Guendolyn est la femme d'un ministre ancien conseiller privé du cabinet du...

BOURGEOIS

Oui, la femme d'un ministre qui s'appellerait Fifine ou Cocotte...

HAROLD

Et présidente du Bridge Club, Five o' Clock Tea, Children's Aid, et Montreal Ladies' Music Morning Club.

BOURGEOIS

Tu entends, Jacques? Parlez-moi de ça! Quand je pense que ma femme, elle, va toutes les semaines à sa partie de whist, ses Dames de Sainte-Anne et son Bon Parler Français.

JACQUES

M'en fous!

HAROLD

Un homme du monde comme vous a droit à des visées plus hautes.

BOURGEOIS

Ah! pour viser, ça... La seule chose, c'est que j'aurais préféré, moi, rendre la chose un peu plus piquante et pincer les fesses à la petite Paquerette du voisin ou à la grande rousse du bureau, tant qu'à pécher.

HAROLD

Pécher! Peuh! Un gentleman doit se débarrasser aussi de ces notioins vieillies et de ce vocabulaire désuet ·

BOURGEOIS

Ah bon! parce qu'en anglais, on dit ça comment?

HAROLD

En anglais, on n'en parle pas.

BOURGEOIS

Ni à son confesseur, ni à sa conscience?

HAROLD

Quand vous la verrez... et surtout quand elle vous verra... oh, oh !

BOURGEOIS, *qui se gonfle*

Je mettrai pour elle mes culottes, et mes bottes, et ma laine écossaise de Picadilly Square...

HAROLD

Circle.

BOURGEOIS

Picadilly Square Circle... Comment me trouvez-vous ?

HAROLD

Méconnaissable. Vous vous transformez de jour en jour. Cette cravate, par exemple, de Old Orchard Yacht Club... c'est tout ce qu'il y a de plus élégant.

BOURGEOIS

Tu entends, Jacques ?

JACQUES

Je suis sourd.

BOURGEOIS

Ce que j'ai hâte d'être gentleman accompli !

HAROLD

Il vous reste à vous loger en gentleman.

BOURGEOIS

Ah oui, parlons maison.

HAROLD

Domaine, Sir.

BOURGEOIS

Ha ! un domaine pour Jean-Baptiste !

HAROLD

Avec piscine...

BOURGEOIS

... comme les Goldberg...

HAROLD

... tennis, golf...

BOURGEOIS

... comme les Goldcloon...

HAROLD

... billard...

BOURGEOIS

... comme les Goldsmith...

HAROLD

... et un bar comme les Gold n' Gold...

BOURGEOIS

... Et au-dessus du bar, j'aimerais un joli tableau au plafond, comme j'en ai vu chez les Dupuis.

HAROLD

Très bien, une fresque au plafond au-dessus du bar.

BOURGEOIS

Oui... la Crèche de Bethléem.

HAROLD

Au-dessus du bar, ça va être superbe !

BOURGEOIS

Avec tout un ciel d'étoiles et de petits anges.

HAROLD

Vos invités qui lèveront la tête se croiront au paradis.

BOURGEOIS

C'est ce que je veux... Et sur les fauteuils et les divans de velours, des belles housses fleuries en crêpe de Chine qu'on met tous les matins. Et des radios dans les chambres, et des cygnes roses sur le parterre, et le téléphone dans la salle de bain... que tout Westmount puisse me rejoindre n'importe où, n'importe quand.

HAROLD

Vous aurez tout ça. Laissez-moi faire.

BOURGEOIS

Vous?

HAROLD

Je me charge de vous trouver la maison.

BOURGEOIS

Encore? Après tout ce que vous avez fait pour moi?

HAROLD

Tut-tut-tut... Mr. Bourgeois, on est ami ou on ne l'est pas?

BOURGEOIS

Ah pour ça, on est ami.

HAROLD

Faites-moi donc confiance, et laissez-moi encore faire quelque chose pour vous.

BOURGEOIS

Vous me gênez.

HAROLD

Sir John, please!

BOURGEOIS

Comment vous dites ça?

HAROLD

Please...

BOURGEOIS

Non, avant le please... comment vous m'avez appelé?

HAROLD

Ah!... Sir John. C'est bien Jean-Baptiste votre petit nom?

BOURGEOIS

Sir John! Ma femme! ma fille! venez entendre ça!... Il y a jamais personne autour de moi dans les grands moments de ma vie... Sir John!

Entre Joséphine

JOSÉPHINE

Qu'est-ce qui se passe dans cette maison?

JACQUES

Il se passe rien depuis une demi-heure que j'attends.

HAROLD, *à part*

The pest!

BOURGEOIS

Joséphine, ça vaut mieux que rien.

JOSÉPHINE

C'est déjà ça.

BOURGEOIS

Comment tu me trouves?

JOSÉPHINE

Comment je vous trouve? pour vrai?

BOURGEOIS

Qu'est-ce qu'il y a de changé en moi? Tu remarques rien?

JOSÉPHINE

La cravate... les chaussettes...

BOURGEOIS

Non, non, idiote? en moi! dans ma personne!

JOSÉPHINE

Elle est toute carottée aujourd'hui, votre personne.

Joséphine et Jacques s'entretiennent tout bas.

BOURGEOIS

Elle me fera enrager jusqu'à la fin, celle-là.

HAROLD

Vulgaire !

BOURGEOIS

Comment est-ce que je m'appelle, Joséphine ?

JOSÉPHINE

M. Bourgeois, c'te belle affaire !

BOURGEOIS

Heh ! vulgaire !

HAROLD

Pfffff !

JOSÉPHINE

C'est-i' de votre petit nom que vous voulez parler ?

BOURGEOIS

Je veux parler de mon nom, de moi... Qui suis-je ?

JOSÉPHINE, *à Jacques*

Y a-t-i' changé de nom itou ?... *(Au Bourgeois.)* Attendez voir une petite affaire. Pour moi je dirais que Jean-Baptiste Bourgeois ça doit devenir, habillé comme vous êtes, John Bêtise Burglar.

BOURGEOIS

T'oublies quelque chose.

JOSÉPHINE

C'est pas assez ?

BOURGEOIS

Avant le Jean...

JOSÉPHINE

Tit-Jean ?

BOURGEOIS

Folle !... Ssss...

JOSÉPHINE

Ssss...

BOURGEOIS

Sir ! idiote !

JOSÉPHINE

Marde !

BOURGEOIS

Comment ça te sonne ?

JOSÉPHINE

Ah ça sonne, on a beau dire ! ...sss..Sir ! ça sonne
des cloches !

BOURGEOIS

C'est ben, c'est ben... tu peux t'en retourner.

JOSÉPHINE

C'est tout ce que vous vouliez? Ben, en ce cas-là, je retourne à mon ssss... siau.

Elle sort.

HAROLD

Ne vous occupez pas de ces gens de rien, M. Bourgeois.

BOURGEOIS *déçu*

Ah!...

HAROLD

M. Bourgeois, please, remontez-vous.

BOURGEOIS

C'est le M. Bourgeois qui me renvoie à mes origines. Et je me sens gros Jean...

HAROLD

Sir John!

BOURGEOIS

Voilà, je me sens mieux.

HAROLD

J'aurais une dernière faveur à vous demander, Sir John.

Jacques se ressaisit.

JACQUES

Enfin !

HAROLD

Êtes-vous content de James ?

BOURGEOIS

Mon chauffeur ? Oui, il conduit un peu vite, mais...

HAROLD

Il aurait quelque chose à vous dire.

JACQUES

Ah !...

BOURGEOIS

Jacquot ? Qu'est-ce que tu veux encore ?

HAROLD

Allez, James, parlez.

JACQUES

Mais... vous m'aviez promis, Sir Harold...

HAROLD

Bien, il est intimidé. Je parlerai donc pour nous deux. Lui et moi voulons nous marier.

BOURGEOIS, *interloqué*

Vous deux ?... Ensemble !...

HAROLD

Mais non, voyons. Votre chauffeur désire se marier mais rester quand même à votre service.

BOURGEOIS

Mais Jacques peut se marier s'il veut !

JACQUES

C'est pas toute...

HAROLD

Ce n'est pas tout.

JACQUES, *encouragé*

Patron, écoutez-le et s'il vous plaît, dites-oui.

BOURGEOIS

Demandez tout ce que vous voudrez, Sir Harold, c'est oui.

JACQUES

Merci, patron.

HAROLD

En ce cas, Sir John, j'ai l'honneur de vous demander la main de votre fille.

Jacques est aux anges.

BOURGEOIS

Ma fille Lucille? Pour qui?

HAROLD

Pour moi, bien sûr.

JACQUES, *qui comprend*

Aaah!... le maudit! *(Il s'étouffe et sort.)*

BOURGEOIS

Ma fille, hé, hé... ma petite fille Lucille, une Lady! Excusez-moi, Sir Harold, c'est l'émotion. J'aurais jamais cru à tant d'honneur. Depuis quelque temps, je songeais à lui proposer quelqu'un de... de mon rang... mais j'aurais pas cru que ça se ferait si vite... et si haut. Même que je savais pas que vous étiez célibataire, tiens!

HAROLD

Oui, depuis quelques mois.

BOURGEOIS, *qui n'entend pas la réplique*

Ça, ça se mouille, ça se fête. Jacques, Jacquot!

Apparaît Joséphine.

JOSÉPHINE

Qu'est-ce que vous lui voulez encore?

BOURGEOIS

Qu'il nous conduise au Ritz. Nous avons quelque chose à célébrer.

JOSÉPHINE

Il n'a pas l'âme à vous regarder célébrer, le pauvre. Je sais point ce que vous lui avez fait, mais il est sorti vomir dans le jardin.

BOURGEOIS

C'est sans doute son mariage qui l'a énervé. Qu'il vomisse un bon coup; mieux vaut avant qu'après.

HAROLD

Il faudra trouver un moyen d'éloigner Mme Bourgeois le jour où vous recevrez Lady Guendolyn...

BOURGEOIS

Elle va de temps en temps passer une fin de semaine à Old Orchard... je m'arrangerai.

Joséphine a prêté l'oreille

HAROLD

Parfait. Nous pourrons arranger ça pour qu'elle vienne ici.

Bourgeois et Harold sortent.

JOSÉPHINE

Qu'est-ce que c'est que cette Lady... quand Madame sera à Old Orchard? Tiens, tiens, tiens... José-

phine, ma fille, il est grand temps que tu commences
à te rouvrir les battants d'oreilles.

Elle sort.

Jacques, puis Lucille.

*Jacques entre, une louche dans chaque main, et
passe sa rage sur les meubles de cuivre qu'il fait
sonner comme des gongs.*

JACQUES

Traitresse! bougresse! Judas! vendue! Elle m'a
fait ça, à moi! «Ça me fait rien si t'es chauffeur, qu'elle
disait, l'amour regarde pas à l'habit»... Vendue! Judas!

*Lucille entre sur le bout des pieds et met ses
mains sur les yeux de Jacques.*

LUCILLE

Cou-cou! *(Il se dégage avec force.)* Jacques!
c'est moi! *(Il boude.)* Jacques! Coco! Qu'est-ce qui
s'est passé? Ils sont tous sortis, mon amour, on est
tout seuls, je te jure.

JACQUES

M'en fous.

LUCILLE

Tu te fous de quoi?... Mais je te dis que ma mère fait son marché et que mon père vient de sortir avec son bull-dog, je l'ai vu.

JACQUES

Un bull-dog qui t'a déjà mordue, si j'ai bien compris.

LUCILLE

Qui m'a quoi?... Bon, tu vas m'expliquer ce que t'as compris, pour que j'essaye de comprendre que-que chose à mon tour.

JACQUES

Y a rien à comprendre, c'est déjà trop clair.

LUCILLE

Clair comme de la vase... Écoute, mon petit Coco, mon gros bêta, tu vas m'expliquer ce qui t'arrive et pourquoi tout d'un coup tu me traites comme ça, moi qui t'ai jamais rien caché ni rien...

JACQUES

Rien caché, hein? Tu crois peut-être qu'un chauffeur ça voit rien, et entend rien, et sent rien?...

LUCILLE

Bon, nous y revoilà! Tous ces mois-là et tout ce qu'on s'est dit, ç'a pas suffit à te débarrasser de tes complexes de chauffeur de mon père.

JACQUES

Pardon! c'est pas parce que tu fais de la psychologie à l'université que faut que j'aie des complexes, moi.

LUCILLE

Et moi, faudra donc que je sois complexée toute ma vie, parce que mon père a fait fortune dans les chaussures? Je croyais qu'on avait fini de débattre cette question-là, et qu'on avait décidé une fois pour toutes qu'on serait heureux tous les deux malgré tout le monde, malgré les parents, les qu'en dira-t-on et l'argent. Je m'en balance, moi, de ta casquette et de ton veston noir. C'est pas parce que t'es propre et que tu cours pas les tavernes chaque nuit que tu vaux moins bien que les gars de la Faculté. Quand on ira dans la montagne, tous les deux...

JACQUES

La montagne!

LUCILLE

Mais qu'est-ce qu'elle a, la montagne? Tu as déjà oublié ton dernier congé? Au bord du lac, t'as oublié? Jacques! T'as oublié?

...

Très bien. J'ai compris. Parfois ça prend du temps, mais on finit toujours par comprendre. Il fallait le dire. C'est seulement dommage que tu m'aies laissé si longtemps mes illusions. Bye! C'est fini.

Elle fait le geste de partir.

102

JACQUES

Si c'est fini, c'est bien de ta faute.

LUCILLE

Ah bon, parce que c'est de ma faute en plus! Heuh!

JACQUES

Ben, tu vas tout de même pas dire que c'est moi qu'a commencé.

LUCILLE

Heh! j'aimerais bien savoir qui.

JACQUES

Si c'est pas moi, tu pourrais le deviner.

LUCILLE

C'est drôle mais je devine pas.

JACQUES

Demande-le donc au bull-dog, il pourrait peut-être t'aider.

LUCILLE

Mais... mais... qu'est-ce que tu insinues?

JACQUES

Heuh!

LUCILLE

Oui, heuh! Oh! mais si tu crois, Jacques Bélanger, que je vas avaler celle-là!

JACQUES

Et moi si tu crois que je vas avaler tes cachotteries avec... avec la haute!

LUCILLE

Qu'est-ce au diable qu'il me raconte là?

JACQUES

Il te raconte la vérité. Parce que lui, Jacques Bélanger, il a pas peur de la vérité, ça s'adonne. Et quant à l'apprendre un jour, il aime autant l'apprendre tout de suite.

LUCILLE

Et Lucille Bourgeois aussi, ça s'adonne de même. Elle est bien contente d'avoir appris la vérité avant qu'il soit trop tard.

Scène X

Les mêmes, plus Joséphine.

JOSÉPHINE

Salut, mes petits oiseaux! Quand le chat est sorti, les souris dansent, hein?... Non, ma grand foi, ç'a point

104

l'air d'avoir dansé beaucoup à matin... Hum!... hum!...
Gênez-vous pas pour moi, je venais rien que ramasser
les verres sales. Quant la poussiére dégringole en bas
de la montagne, c'est toujours nos verres qui sont
salis... Je disais donc que vous pouvez vous re-rappro-
cher, je m'en vas... puisque je vous gêne. *(En passant
près de Lucille.)* Bou!

LUCILLE

Hey!

JOSÉPHINE

De rien, de rien. Je voulais rien que m'assurer que
Loth était point passé par icitte pour changer sa fille en
statue de sel.

LUCILLE

J'aimerais être une statue de sel.

JOSÉPHINE

Ah bon?

JACQUES

C'est pas du sel, c'est de la glace.

JOSÉPHINE

Ah-ha!

LUCILLE

Quand l'atmosphère est trop froide, ça finit par gla-
cer le monde, c'est vrai.

JOSÉPHINE

De mieux en mieux.

JACQUES

L'atmosphère se refroidit pas tout seule. Y a des causes à ça.

JOSÉPHINE

Ben... je serais-t-i' timbée en plein dans un quizz de Radio-Canada? Écoute, jeune homme, tu vas me dire ce qui s'est passé icitte, quand je netteyais le grenier, moi; et toi, ma poulette, tu vas venir raconter à Joséphine...

LUCILLE

J'ai rien à dire.

JACQUES

Moi encore moins.

JOSÉPHINE

Bon, bon, bon. Alors, Joséphine, ma fille, tu sais ce qui te reste à faire dans ces cas-là. Ton père t'a tout le temps enseigné que pour arriver premier, il faut partir à temps.

Elle s'éloigne. Aussitôt les deux la rattrappent.

LUCILLE

Joséphine!

JACQUES

Joséphine!

Gênés, ils retournent chacun dans leur coin bouder. Joséphine s'installe dans la berceuse et se met à raconter.

JOSÉPHINE

Il y avait une fois,
dans un pays lointain,
Deux enfants qui boudèrent
chacun dans chaque son soin.

Ils restèrent si longtemps,
Si longtemps en bouderie,
Qu'ils finirent par oublier
Par où ça commencit.

Vint à passer par là
Une sorcière édentée.
Ça va faire! qu'elle hucha;
Qui c'est qu'a commencé?

Les deux sursautent et rient.

Eh ben, parlez, dites-moi. *(Elle s'approche de Jacques.)* Crache.

Il chuchote tout bas à son oreille.

Oh! Et t'as cru ça, vieux sot!

Même jeu avec Lucille.

Ah! non! Mais là, mon enfant, tu me chagrines.

À Jacques.

Mais... mais... bon, bon!

À Lucille.

Ah là, t'exagères, ma fille.

À Jacques.

Comment?... Il a dit ça?... Le salaud!

À Lucille.

Hi, hi!... Oh! mais non! mais voyons, à ton âge...
ha, ha, ha!

*Cette fois c'est elle qui chuchote dans l'oreille
de Jacques.*

JACQUES
Mais je te jure, Joséphine...

Elle coupe court et va parler à Lucille.

LUCILLE
Non mais, Joséphine, à ma place, qu'est-ce...

Même jeu à Jacques.

JACQUES

O.K.! j'ai compris.

Même jeu à Lucille.

LUCILLE

C'est pas ma faute, Joséphine.

À Jacques.

JACQUES

Essaye d'y faire comprendre que c'était malaisé pour moi... et pis je l'aime, Joséphine.

À Lucille.

LUCILLE, *qui éclate en sanglots dans ses bras*

Joséphine !

JOSÉPHINE, *qui les réunit*

Bon, bon, bon, fini, fini... là, là... chut... On est de nouveau heureux ?

Les deux sortent enlacés.

JOSÉPHINE

Chers tourtereaux ! Et on a voulu faire du mal à ça... Eh ben, y a quelqu'un qui va me le payer... Une Lady de Westmount dans notre ménage, hein ? sur nos

tapis? Heuh! je vais leur en faire, moi, une lady!...
(Soudain inspirée.) Mais oui, moi, je vais leur faire leur
lady! Hi, hi, ho, ho, ho, ho! Vous allez voir ce que
vous allez voir! Hi, hi, hi!

Rideau

ACTE II

Quelques jours plus tard; même lieu où sont ajoutés un punching bag, une balance, une bicyclette, des objets de sports.

Scène I

Bourgeois et maître de gym.

Le Bourgeois entre en maillot, transpirant et essoufflé. Le maître l'éponge.

MAÎTRE

Voilà un homme rajeuni de dix ans. Vous allez passer comme ça deux fois par jour au sauna et vous finirez par perdre tout ce que vous avez en trop.

BOURGEOIS

Heu... heu... *(complètement hors d'haleine.)*

MAÎTRE

Ben faut pas se laisser refroidir. Hop! sur les pieds. Un, deux, un, deux...

L'autre suit tant bien que mal.

Tête haute, nuque souple, buste en avant... comme ça, comme ça... On se sent pas déjà mieux ?

BOURGEOIS

Heu... heu...

MAÎTRE

Parfait ! La forme, Monsieur, la forme. Montrez-moi un peu vos réflexes.

Il tâte les genoux du Bourgeois qui lui donne un coup de pied dans le ventre.

MAÎTRE

Outch !... Hou... hou...

BOURGEOIS

Ha !... ça va mieux, quand même. Je retrouve mon souffle... et mes jambes.

MAÎTRE

Vos jambes sont bonnes... en effet... heu... Et maintenant, essayons les muscles des bras.

Il donne un coup sur le punching bag que le Bourgeois lui renvoie aussitôt dans l'œil.

MAÎTRE

Aïe !...

BOURGEOIS

Je sens que mes réflexes reviennent petit à petit…
comme du temps de la cour d'école de Sainte-Pétronille.

*Il cogne sur le punching bag dans tous les sens;
le pauvre Maître ne sait plus où s'enfuir.*

MAÎTRE

Doucement… doucement…

BOURGEOIS

Ah! la belle époque!

MAÎTRE

Mr. Bourgeois!… Sir John!

Bourgeois s'arrête net.

BOURGEOIS

Présent!… Finie la petite école de Sainte-Pétronille.

MAÎTRE

Tenez. Il faut maintenant s'initier au sport des
sports, le sport de l'élite.

BOURGEOIS

De qui?

MAÎTRE

Des grands de ce monde.

BOURGEOIS

Montrez-moi ça vite.

MAÎTRE, *qui lui passe un bâton de golf*

Le golf, Sir.

BOURGEOIS

Oh oui, le golf, enfin! Samedi je veux m'essayer contre Goldsmith et Goldberg.

MAÎTRE

Le golf est la porte des gouvernements et des grandes compagnies.

BOURGEOIS

Dépêchons-nous, j'ai une démangeaison terrible de cogner sur quelque chose.

MAÎTRE

Alors commençons par le commencement. Vous en connaissez les rudiments, bien sûr?

BOURGEOIS

Ça c'est les petites boules?

MAÎTRE

... Commençons avant le commencement.

BOURGEOIS

Où vous voudrez, c'est vous le maître.

MAÎTRE

Voilà les bâtons: le long pour les long shots, le moyen...

BOURGEOIS

Un instant.

Il enfile les culottes, les bas, et se coiffe de la casquette golf.

Me voilà. Sans l'habit, je pourrais passer pour quelqu'un qui sait pas jouer. Allons-y.

MAÎTRE

Mettons-nous en position.

BOURGEOIS

En position.

MAÎTRE

Non, non, pas comme ça. Le bâton en bas. C'est pas du base-ball ça.

BOURGEOIS

Alors comment on fait?

MAÎTRE

On fait comme ceci, la méthode Eisenhower qui lui a fait gagner la guerre. Ou le style Bing Crosby, qui le met chaque jour sur le Hit Parade... Doucement, détendez-vous… le sport est un art de détente, de relaxation… Ne bougez pas, penchez légèrement la tête vers la gauche… la nuque raide… détendez-vous… jambes serrées l'une contre l'autre… ne bougez pas… détendez-vous… bras plié… main gauche en-dessous de la droite… détendez-vous… ne bougez pas… ne gougez pas…

BOURGEOIS

Même que je voudrais, je pourrais plus bouger, j'ai une crampe… aïe!

MAÎTRE

Détendez-vous, vous n'êtes pas assez souple. Ce sport est l'art de la souplesse.

BOURGEOIS

Aïe!… vous auriez pas un sport pour m'assouplir et me mettre en forme pour les autres?

MAÎTRE

Y a le yoga.

BOURGEOIS

Le yoga? C'est pas une forme de yoyo, ça?

MAÎTRE

Le yoga, sport de l'âme et de l'esprit.

BOURGEOIS

Ah! parce qu'y a des muscles là-dedans aussi…

MAÎTRE

Pour rétablir l'équilibre, faut le silence, la tranquillité des sens et de l'esprit.

BOURGEOIS

Et comment on fait ça?

MAÎTRE

Par la grande détente.

BOURGEOIS

Est-ce qu'y a des boules aussi là-dedans?

MAÎTRE

Vous vous faites d'abord très lourd, lourd...

BOURGEOIS

C'est déjà fait.

MAÎTRE

...et vous ne pensez plus à rien, vous ne voyez plus rien. Il n'y a plus d'objets autour de vous, plus de meubles, plus de murs...

BOURGEOIS

Y a mes claques.

MAÎTRE

Vous êtes complètement nu dans un monde nu...

BOURGEOIS

Tirez les rideaux.

MAÎTRE

Chut!... silence... détentez-vous... faites le vide... vous n'avez plus de pieds, plus de jambes... non, ne regardez pas, ne bougez pas la tête... plus de regard... plus de parole... silence... paix... paix à vos membres... silence!... Votre corps tombe, flotte, flotte...

BOURGEOIS

Au secours! je cale!

MAÎTRE

Silence! concentrez-vous, bougez pas et pensez à rien. Votre gourou vous soutient... vos pieds touchent le ciel... vous êtes transformé, transsubstancié... au nirvana... vous cherchez Dieu.

BOURGEOIS

Seigneur, ayez pitié!

Les mêmes, plus Joséphine.

JOSÉPHINE

Mon Dieu! sauvez mon maître! M. Bourgeois! M. Bourgeois, c'est moi, Joséphine, la servante, je suis là... M'entendez-vous?

BOURGEOIS

Chut!... je m'entretiens avec mon bourreau.

JOSÉPHINE

Avez qui?

BOURGEOIS

Mon bourreau... qu'est aux Indes.

JOSÉPHINE

Ah! vous êtes aux Indes... I' fait-i' chaud par là?

BOURGEOIS

Je sais pas... je sens rien... j'ai plus de corps, plus de tête...

JOSÉPHINE

Si, vous l'avez entre les jambes, je la reconnais.

BOURGEOIS

J'ai les pieds au ciel... je parle à Dieu...

119

JOSÉPHINE

Ah! bon? Et comment est-il, Dieu, vu d'en bas?

BOURGEOIS

Il est en haut... et tout brouillé.

JOSÉPHINE

Vous avez raison. C'est beau le monde à l'envers: Rosemont est en haut et Westmount en bas.

BOURGEOIS

Est-ce qu'y a trois personnes en Dieu, à Westmount?

JOSÉPHINE

Demandez ça à votre professeur d'anglais qui est venu pour la leçon.

BOURGEOIS

Le professeur d'anglais? Faites vite entrer; j'ai grand besoin de me reposer de mon vide et de ma détente... Merci, maître. À demain, ou plus tard.

MAÎTRE

Nous ne faisons que commencer.

BOURGEOIS

C'est ça, mais y a un commencement à tout! et entre le commencement et la fin, il faut souffler un peu. Au revoir. Et merci à mon bourreau.

MAÎTRE

À la prochaine, Sir, pour le tennis, le billard et le bridge!

Il sort.

BOURGEOIS

Ouf!... crois-moi, Joséphine, grimper la montagne, c'est pas une promenade du dimanche.

JOSÉPHINE

Courage, patron! Songez à Notre-Seigneur-Jésus-Christ qu'a monté au calvaire, lui, et avec des Juifs.

BOURGEOIS

Fais entrer le professeur. Je vais me changer et me rafraîchir un peu.

Il sort.

JOSÉPHINE

Ah! pour vous rafraîchir, laissez ça à l'anglophone... Avec sa gueule gelée... *(Elle l'annonce)* Dr. Barry Fitchgerald Chomedey, class 1924!

Scène III

Joséphine et le professeur.

121

PROFESSEUR, *qui se dirige vers le punching bag*

Monsieur!

JOSÉPHINE

Non, Monsieur n'est pas là-dedans. Il est allé se changer pour mieux comprendre la leçon et faire ses grades.

PROFESSEUR

Faire ses grades n'est pas français.

JOSÉPHINE

Ça fait rien, c'est en anglais que le patron veut faire les siens.

PROFESSEUR

Oh!

JOSÉPHINE

Comment?

PROFESSEUR

J'ai dit: Oh!

JOSÉPHINE

Aoh!

PROFESSEUR

Vous dites?

JOSÉPHINE

J'ai dit: a-oh! Je pratique.

PROFESSEUR

Vous pratiquez quoi?

JOSÉPHINE

L'anglais.

PROFESSEUR

How stupid!

JOSÉPHINE

Stupitt.. pitt... pitt *(Elle grimace.)*

PROFESSEUR

What is bothering you?

JOSÉPHINE

... Bothering... thering... thering... Je l'ai! Je l'ai! Thering... une vraie cloche!

PROFESSEUR

This is unbearable!

JOSÉPHINE

Bearable... able... bulle... bulle... merveilleux! Avec une langue comme ça, on fait des bulles.

PROFESSEUR

Ça va finir bientôt, cette comédie ?

JOSÉPHINE

Poc ! déjà fini ! la bulle a éclaté. Ne prenez point ça à mal, mon maître, je cherche seulement à m'instruire, moi. Par rapport que ben vite, ça suffira pas de parler anglais dans le monde où l'on vit, il faudra le parler dans l'accent. Je prends de l'avance sur mon patron... Surtout que bêtôt, moi qui vous parle, je vas avoir besoin de beaucoup d'accent, par rapport que... En toute confiance, tandis qu'on est rien que tous les deux... vous pourriez pas me montrer une petite affaire...

PROFESSEUR

Ah !

JOSÉPHINE

... une petite affaire d'accent pour dire que je suis ben bénaise de vous ouère et que le temps me dure de vivre au ras vous.

PROFESSEUR

Moi ?

JOSÉPHINE

Pas vous, non, quelqu'un à qui je dirai ça bêtôt.

PROFESSEUR

Mais ce baragouin, dites-le-moi d'abord en français.

JOSÉPHINE

Mais je vous ai parlé français.

PROFESSEUR

Non, patois.

JOSÉPHINE

Ah! bon! je parle patois asteur. Alors comment on dit: j'ai hâte de faire votre connaissance?

PROFESSEUR

Je suis ravie de vous connaître.

JOSÉPHINE

Mais non, en anglais.

PROFESSEUR

I'm anxious to meet you.

JOSÉPHINE

Anxious to meet you... anxious to meet you. Et où c'est qu'on met l'accent?

PROFESSEUR

L'accent?

JOSÉPHINE

Oui, l'accent, comme on s'assit sur un mot.

BOURGEOIS, *de la coulisse*

Joséphine !

JOSÉPHINE

Comme ça, voyez-vous ? Mon patron, quand il huche Joséphine, il sait où mettre l'accent... J'arrive, patron, yes Sir... anxious to meet you.

Scène IV

Les mêmes plus Bourgeois en T'Shirt McGill University.

BOURGEOIS

Tiens ! elle parle anglais déjà.

JOSÉPHINE

Yes sir... bothering you... thering thering... bearable... bulle... bulle... Laissez-vous faire, Monsieur, et avant le coucher du soleil vous faites des bulles et sonnez les cloches... bulle, bulle... dring, dring...

BOURGEOIS

Complètement dingue !

JOSÉPHINE

Ding ! Surtout habillé comme vous l'êtes, la science va vous entrer par tous les trous.

126

BOURGEOIS

Elle est folle!

JOSÉPHINE

Full! full!

Elle sort.

BOURGEOIS

Bonjour, professeur, et ne laissez pas cette garce vous déranger. Me voilà tout paré pour les études. Est-ce que vous me trouvez comme il faut?

PROFESSEUR

Tout cela n'était pas nécessaire.

BOURGEOIS

C'est que j'ai voulu me conditionner autant que possible comme si demain j'entrais à McGill.

PROFESSEUR

Je suis un gradué de Queen's, classe '24.

BOURGEOIS

Ah! bon. Alors j'irai finir mes études à Queen's, dans la classe 24.

PROFESSEUR

When shall we begin?

127

BOURGEOIS

Je sais pas, mais on peut commencer. J'ai grand
hâte d'apprendre.

PROFESSEUR

Very well.

BOURGEOIS

Very much.

PROFESSEUR

First let us discuss the basics of linguistics and
the fondamental problems of the science or words...

BOURGEOIS

Monsieur...

PROFESSEUR

The main topics of our speech today...

BOURGEOIS

Monsieur... monsieur le profess...

PROFESSEUR

Yes?

BOURGEOIS

... Tout ce que vous venez de dire, c'est très
joli... et très intelligent. Mais vous pourriez pas me mettre ça en langue du pays?

PROFESSEUR

Langue du pays? Que voulez-vous dire? La langue du pays, ça n'existe pas.

BOURGEOIS

Pardon... je veux dire la langue du coin, la langue de mes parents, la langue de la cour d'école de Sainte-Pétronille. Seulement pour me partir. Une fois que j'aurai maîtrisé la base, après vous pourrez tout m'enseigner.

PROFESSEUR

C'est exactement ce que je vous disais: il faut commencer par la base.

BOURGEOIS

Ah! C'est ce que vous disiez? Dire que j'ai trouvé ça tout seul, sans avoir appris. Ça me rentre déjà par les pores de la peau.

PROFESSEUR

Commençons donc par la base.

BOURGEOIS

C'est ça.

PROFESSEUR

We shall therefore discuss the basics and the fondamentals...

129

BOURGEOIS

Non, non et non! No, no, no!

PROFESSEUR

Mais que voulez-vous?

BOURGEOIS

Parler anglais.

PROFESSEUR

Of course.

BOURGEOIS

Alors montrez-moi à parler anglais. Par exemple, dites-moi: «Vous avez la plus jolie petite coquine de frimousse que j'aie eu le plaisir de contempler.» Dites-moi ça.

PROFESSEUR

À vous?...

BOURGEOIS

Pas à moi, non, mais à moi pour que je lui dise à elle tout à l'heure. Tournez-moi ça joliment en anglais.

PROFESSEUR

En anglais, on dit: Charming!

BOURGEOIS

C'est tout? Y a pas autour des petites fioritures?

130

PROFESSEUR

L'anglais est la langue des affaires.

BOURGEOIS

C'est vrai... c'est pour ça qu'on l'apprend. Alors quand on sort de l'usine ou du bureau, comment on vit? Jamais plus d'un mot à la fois?

PROFESSEUR

Il faut être concis; en anglais le temps est précieux.

BOURGEOIS

Vous avez raison... Mais quand on se repose ou qu'on a du temps à perdre... ça n'arrive pas... je sais pas... qu'on ait le goût de parler pour parler, comme on dit, de dire des riens, de parler pour rien dire, d'allonger les phrases juste pour le plaisir, pour se détendre la luette. Alors on dit toutes sortes d'idioties sans importance comme: «Moi j'ai pour mon dire», juste pour faire passer le temps.

PROFESSEUR

On n'a pas le temps en anglais de faire passer le temps, il passe tout seul.

BOURGEOIS

Oui, ça c'est vrai. Faire passer le temps c'est du temps perdu. ... Écoutez-moi, j'aimerais que vous m'enseigniez quelques phrases toutes faites et toutes prêtes d'avance pour répéter à ma dame du grand monde que je reçois ici tout à l'heure. Quelques mots à lui filer, mine de rien, entre les olives et les petits fours.

PROFESSEUR

Quel genre de phrases?

BOURGEOIS

Des phrases galantes, pas trop osées, mais quand même avec du sentiment.

PROFESSEUR

Est-ce une fille ou une matrone?

BOURGEOIS

Ni l'une ni l'autre; c'est une Anglaise de Westmount.

PROFESSEUR

En ce cas, dites-lui: Who won at bridge last night?

BOURGEOIS

... bridge last night...

PROFESSEUR

How is your poodle?

BOURGEOIS

... puddle...

PROFESSEUR

Do you still keep the same pussy?... Will you have some more tea?

BOURGEOIS

Attendez-moi! attendez-moi! pas trop vite.. more tea? the bridge last night, the pussy, how is the puddle? Ah! que c'est joli les mots d'amour en anglais. Apprenez-moi surtout à bien prononcer, pour qu'on soupçonne pas Saint-Pétronille à mon accent.

PROFESSEUR

Avant tout c'est une question de mentalité.

BOURGEOIS

De quoi?

PROFESSEUR

D'esprit, d'attitude mentale. Par exemple, comment exprimez-vous la colère en français?

BOURGEOIS

La colère en français?

PROFESSEUR

Oui, en français, que faites-vous quand vous êtes fâché?

BOURGEOIS

Je fais: Chrisse!

PROFESSEUR

Et qu'avez-vous fait?

BOURGEOIS

J'ai sacré.

PROFESSEUR

Vous avez avancé le menton et du coup placé vos dents d'en bas sur vos dents d'en haut, comme ça. Et ç'a produit: Christ! La même colère, en anglais se traduit par: Shit! Ce sont les dents d'en haut qui se placent sur celles d'en bas; parce que dans la mentalité anglaise, on va toujours du haut vers le bas. Vous serrez les lèvres, avalez la langue: Shit!

Bourgeois s'adonne à toutes sortes de gymnastiques de la langue.

BOURGEOIS

Hist!... Chrisse!... Shit!... C'est vrai. En anglais on part d'en haut, et en français on vient d'en bas. Ah! la belle chose que la langue! Sainte-Pétronille, ce que tu m'as fait perdre de temps! Shit!... Chrisse!...

PROFESSEUR

Et comment traduisez-vous l'étonnement?

BOURGEOIS

Quoi?

PROFESSEUR

Bien. Voilà un étonnement de Rosemont. Mais en anglais on s'étonne comme ceci: Oh!

BOURGEOIS

A-oh!... é-oh!... eu-oh!... Je sens que j'ai du talent, un petit effort et... euh!... Qui c'est qu'aurait dit qu'en quelques heures, Jean-Baptiste allait parler anglais sans accent! Euh... euh!...

PROFESSEUR

Faites maintenant le dégoûté.

BOURGEOIS

Dégoûté?

PROFESSEUR

Oui, on vous dégoûte avec quelque chose...

BOURGEOIS

Aidez-moi un peu, faites-moi des images.

PROFESSEUR

Le Ministère du Revenu du Québec.

BOURGEOIS

Heug!

PROFESSEUR

Good, fascinating! Vous êtes très doué.

BOURGEOIS

Et en anglais ? Comment vous écœurez-vous ?

PROFESSEUR

Dites quelque chose pour m'écœurer en anglais.

BOURGEOIS

...Maurice Duplessis !

PROFESSEUR

Bah !

BOURGEOIS

Beu ! beu !... Hé que c'est joli ! Et ça vient tout seul. Beu !... beu ! je parle anglais ! Sainte-Pétronille, je parle anglais ! Bêêê... bêêê !

Scène V

Les mêmes plus Mme Bourgeois en tenue de voyage, suivie de Joséphine.

Mme BOURGEOIS

C'est de l'anglais, ça ? Moi j'aurais dit que c'était du mouton.

JOSÉPHINE

On a beau changer de camp, on traîne son Jean-Baptiste avec soi.

PROFESSEUR

Disgusting! Peuh!

BOURGEOIS

Gusting! pouah!

Mme BOURGEOIS

Qu'est-ce que j'entends? Qu'est-ce qu'il dit?

JOSÉPHINE

Que je sons dégoûtante.

Mme BOURGEOIS

Quoi?

BOURGEOIS

Dégoûté? ... attendez... beu... heu!

Mme BOURGEOIS

Mais je vas d'étonnement en étonnement, moi!

BOURGEOIS

Étonnement... Shit!... non.. comment on dit déjà?
A-oh!...

Mme BOURGEOIS

Mais qu'est-ce que c'est que c'te comédie?

BOURGEOIS

Je parle anglais, ma femme. Attends un peu...
Madame, how is your pussy?

JOSÉPHINE

Seigneur Jésus!

Mme BOURGEOIS

Mon quoi?

BOURGEOIS

Non, non, m'amie, quand t'es étonnée, tu fais:
o — oh!

Mme BOURGEOIS

Je vas t'en faire, moi, des ahô!

BOURGEOIS

Eu — oh!... tu descends les dents d'en haut et
t'avales la langue.

Mme BOURGEOIS

Il veut me faire avaler la langue! Mais il veut me
tuer, ma parole!

JOSÉPHINE

Eu — oh!... La belle langue! Dire que j'ai en-
tendu de l'anglais durant toute ma jeunesse, mais
que je devais venir à Montréal pour apprendre à être
dégoûté... heug!

BOURGEOIS

C'est pas joli, ça?

JOSÉPHINE

À faire vomir, heug!

Mme BOURGEOIS

Ça va faire! Explique-moi ce qui se passe. Je partirai pas pour les États sans avoir reçu de toi, Jean-Baptiste, des explications.

BOURGEOIS

Charming!

Mme BOURGEOIS

Comment?

JOSÉPHINE

Votre mari vient de changer son fusil d'épaule et cherche à se réconcilier.

BOURGEOIS

Some more tea?

Mme BOURGEOIS

Qu'est-ce qu'il dit?

BOURGEOIS

Bridge last night?

JOSÉPHINE

Sur le pont, hier au soir...

BOURGEOIS

... your pussy in the puddle.

JOSÉPHINE

Ah! mon Dieu! Comment osez-vous? Des histoires à double sens asteur!

Mme BOURGEOIS

Ah oui? Ça serait-i' l'anglais qui t'aurait délié la langue, au point de bêtiser devant les étrangers? Qu'est-ce qu'ils feront de toi après? Je vas-t-i' revenir des États pour te trouver dans un casino ou un bordel?

PROFESSEUR

Pityful!

BOURGEOIS

Oui, pityful!

Mme BOURGEOIS

Quoi?...

JOSÉPHINE

Petite folle, qu'il a dit.

Mme BOURGEOIS

Ah! bon! Eh bien ça, je me le ferai pas dire deux fois. Si c'est ça que tu veux, j'irai à Old Orchard. J'irai comme une veuve. En attendant, amuse-toi tant que tu voudras à baragouiner ce que tu pourras... le russe et le chinois tant qu'à apprendre et préparer l'avenir. Prive-toi pas. Mais oublie pas, Jean-Baptiste, que je suis entrée dans ta vie avant les Anglais, avant le patronat, avant les claques! En ce temps-là tu mangeais des fèves et des oreilles de Christ, et tu parlais français. Le premier mot que tu m'as dit, le soir du nos noces, c'était dans ta langue. *(Elle sanglote.)* Tu m'a appelée: petite crotte... Jacques! *(Elle sort.)*

BOURGEOIS

Ma femme! m'amie!

JOSÉPHINE, *méprisante*

Crotte!

Elle sort et croise Jacques.

BOURGEOIS

Va vite, Jacquot, empêche-la de partir.

JACQUES, *froid*

Sir Harold est là, Monsieur.

BOURGEOIS

Ah! non! Sir Harold! Qu'est-ce que je vais devenir! Te v'là dans de jolis draps, Jean-Baptiste! Ma femme me quitte fâchée, la lady va venir tout à l'heure, et déjà Sir Harold est là. Professeur, excusez-moi, on reprendra la leçon demain. Là, je sais plus où donner de la tête. Je suis complètement embourbé. Pouf!... Comment on fait ça en anglais?

PROFESSEUR

En Anglais on ne s'embourbe jamais, on fait surface.

BOURGEOIS

Alors je crains de jamais y arriver... Ma femme, m'amie... ma crotte!

Il sort, suivi du professeur.

Scène VI

Jacques et Joséphine.

JOSÉPHINE, *qui entre*

Jacquot! il est sorti?

JACQUES

Il est parti rattraper sa femme. Ils ont eu l'une de ces brouilles, wow!

JOSÉPHINE

Tant mieux. Les orages, ça aide à clairer le temps, que mon pére contait. Asteur, nous deux, on a point de temps à perdre.

JACQUES

Qu'est-ce qu'on fait ?

JOSÉPHINE

On refait le monde.

JACQUES

Comment c'est qu'on fait ça ?

JOSÉPHINE

Avec une once de génie, une livre de chance, et une tonne de jarnigoine.

JACQUES

V'là ton homme pour la jarnigoine.

JOSÉPHINE

Commence par te rouvrir les ouïes et te rentrer dans la caboche ce que je m'en vas te dire. T'es supposé aller chercher une Lady Guendolyn Twickenheim à Westmount et l'amener icitte.

JACQUES

Oui.

JOSÉPHINE

Tu la conduis à la gare centrale.

JACQUES

À la gare centrale ? Mais c'est Mme Bourgeois que je mène à la gare.

143

JOSÉPHINE

Mme Bourgeois, tu la ramènes icitte.

JACQUES

Là je comprends plus rien.

JOSÉPHINE

Alors ça me prendra deux onces de génie, j'en ai besoin pour deux. Faut que la patronne attrape son homme sur le fait; c'est la seule façon d'éclaircir toute l'affaire.

JACQUES

Ah!... Et la Lady, qu'est-ce qu'elle va faire à la gare?

JOSÉPHINE

Elle va être en maudit et te garrocher son soulier par la tête.

JACQUES

Et tu crois que...

JOSÉPHINE

Ça saignera mais tu te mettras un pansement; on n'a pas de temps à pardre. Et pis elle sera domptée, la lady, et cherchera point à recommencer à venir briser les ménages chez nous.

JACQUES

Mais Mme Bourgeois, qu'est-ce que je vais y dire? Elle voudra pas s'en revenir.

JOSÉPHINE

Tu vas oublier ses valises à la maison. Je connais pas une femme de Rosemont qui partirait passer trois jours à Old Orchard sans les valises qu'elle a remplies durant une semaine.

JACQUES

Tu parles que je vas avoir l'air fin, moi. Oublier les valises! Mais j'y pense... Si la Lady est à la gare, comment la patronne va-t-elle surprendre son mari avec?

JOSÉPHINE

Hé, hé, hé!... t'as point de génie, ben une petit graine de moëlle au cerveau. Fais ce que je te dis et moi je te promets de...

JACQUES

Tu me promets Lucille?

JOSÉPHINE

Lucille t'est déjà promise. Asteur il faut que tu gardes toi-même ta promesse.

JACQUES

Moi? Mais je suis prêt à tout.

JOSÉPHINE

Tut-tut-tut- !... Tout c'est vraiment beaucoup.

JACQUES

Je te le jure. J'ai même promis à Lucille tout à l'heure de la demander à ses parents, aujourd'hui. Je te jure que je le ferai.

JOSÉPHINE

Jure pas, ben fais ce que je te dis... Et pis file, v'là le patron... avec son Commonwealth. File.

Jacques sort.

Scène VII

Bourgeois, Sir Harold, Joséphine.

BOURGEOIS, *se jetant presque dans ses bras*

Ah! Sir Harold! Sir Harold, mon ami.

Sir HAROLD

Mon cher!

BOURGEOIS

Je sais plus dans quoi je m'embarque.

Sir HAROLD

Vers le bonheur et la gloire.

BOURGEOIS

Mon bonheur vient de s'envoler fâchée vers les États; et ma gloire... ma gloire est en train d'en prendre une claque, je crains.

Sir HAROLD

Nous allons réparer tout ça. L'une part, l'autre arrive. Vous verrez comme vous allez vite vous consoler.

BOURGEOIS

Oh!... vous savez...

HAROLD

Sir John, please! Ce n'est pas le moment de flancher, vous vivez l'heure cruciale de votre vie; le passage à votre nouvelle existence.

BOURGEOIS

Justement, c'est le passage qui est dur. Quand j'y serai rendu, il me semble que je m'y ferai... petit à petit.

HAROLD

Bien sûr.

BOURGEOIS

Il me semble, par exemple, que là-bas, sur la montagne, dans une grande salle à manger, assis à une grande table, devant une grande nappe blanche et dans des plats d'argent, je pourrai manger du roast-beef sans avoir à l'arroser de ketchup.

HAROLD

Vous aimerez le roast-beef, Sir John, quand vous serez à Westmount.

BOURGEOIS

Et j'oublierai les pattes de cochon, et les oreilles de Christ, et la tourtière et la soupe aux pois?

HAROLD

Vous ne vous souviendrez plus qu'un jour vous en avez mangé.

BOURGEOIS

Et j'oublierai aussi les parties de cinq cents avec les pompiers et les gars de la taverne à Pit Boucher?

HAROLD

Le bridge vous fera oublier le cinq cents.

BOURGEOIS

Et l'anglais, vous croyez que je finirai par le parler? Et rien qu'avec des «a-oh!» et des «heuh!» et des «some more tea», exprimer tout ce que j'ai dans le cœur quand je suis en maudit ou écœuré? Vous croyez que dans mon hall d'entrée de Westmount, sous les lustres et le portrait de la Victoria, je parviendrai à dire à ma femme que ses yeux brillent comme des fanals de grange, et que son sourire me fait revenir

le sang, comme le boudin qu'on faisait à Sainte-Pétronille?... Je crains que ça va prendre du temps pour
dire tout ça dans une autre langue, et que ce sera plutôt malaisé d'appeler une lady «petite crotte»... en
anglais.... Shit!

HAROLD

Surtout pas. Ne traduisez pas mot à mot.

BOURGEOIS

Ma femme, elle, aimait ce mot-là, voyez-vous, elle
lui trouvait... je sais pas... quelque chose de doux...
d'intime...

HAROLD

Ah! pour ça, rien de plus intime.

BOURGEOIS

C'est au moment de plonger qu'un homme revoit
sa vie: Sainte-Pétronille avec ses foins l'été, la ren-
trée du bois pour l'hiver, les veillées à la lampe, la
Chandeleur et Mardi-Gras, les premiers bourgeons d'a-
vril, les parties de fer à cheval à la forge... Pis
l'arrivée en ville avec la crise; le travail à cinq piastres
par semaine, pis à dix, pis la promotion, le progrès,
l'ambition, les risques, l'investissement, les affaires, et
encore plus d'affaires... le premier million! Les mil-
liards de Westmount dans toutes les corporations et
industries valent pas, Dieu non! un premier million dans
les claques à Rosemont! ... Excusez-moi, Sir Harold, je m'étourdis. C'est ma manière de veillée de
vieux garçon. Heh!... ça va déjà mieux, merci... On
est patron ou on l'est pas, et tout se paye.

149

HAROLD

Tout s'achète.

BOURGEOIS

Comme vous dites.

HAROLD

Commençons donc par la maison.

BOURGEOIS

Oui, la maison. Allons voir ça.

HAROLD

C'est pas la peine. J'ai tout préparé. Je savais qu'aujourd'hui vous auriez d'autres chats à fouetter que ...

BOURGEOIS

Milady.

HAROLD

... et que je pouvais bien m'occuper pour vous de la maison.

BOURGEOIS

Vous pensez à tout.

HAROLD

C'est pourquoi j'ai apporté les papiers: vous n'avez qu'à signer ici... et le domaine est à vous.

BOURGEOIS

Signer? Mais j'ai pas visité la maison... j'ai pas...

HAROLD

Sir John, j'ai tout fait pour vous... avec mes amis le ministre du Revenu et le directeur de la Sun Life.

BOURGEOIS

Ah!... vos amis les directeurs ont fait ça avec vous, pour moi?

HAROLD

Signons ici...

BOURGEOIS

Oui... mais le parc, est-ce que...

HAROLD

Justement, c'est le Ministre qui me disait, en visitant votre parc, que... ici. *(Indique où signer.)*

BOURGEOIS

Ici?...

HAROLD

Il vous aime beaucoup, le Ministre du Revenu.

BOURGEOIS

Mais est-ce qu'il me connaît?

HAROLD

S'il vous connaît? Quelle question! Il me disait même récemment, à votre sujet.. ici... que ce sont les hommes comme vous qui l'alimentent et lui donnent l'ambition de faire de grandes choses... Que cherchez-vous?

BOURGEOIS

... Ma piscine, et mon tennis, et mon billard...

HAROLD

... et la Crèche de Bethléem au-dessus du bar... tout est entre les lignes.

BOURGEOIS, *dans un grand geste*

Et voilà, c'est signé. Saluez votre nouveau compatriote, Sir Harold. Sir John Bêtise Bourgeois de Westmount!... Je me sens tout drôle tout d'un coup.

HAROLD

Que se passe-t-il?

BOURGEOIS

Je sais pas... Mais il me semble qu'i' se passe rien... Je sens rien... Eu-oh!... Beuh!... Me trouvez-vous un peu plus d'accent?

Harold range les papiers et ne l'écoute plus.

HAROLD

N'oubliez pas votre promesse, Sir John. Ce soir je viens vous démander officiellement, et en sa présence, la main de votre fille.

BOURGEOIS

Mon Dieu! Ma fille. Faudrait peut-être que je lui en dise un mot.

HAROLD

Et nous ferons la noce dans le grand hall...

BOURGEOIS

Sous le portrait de Georges VI et de la Victoria.

HAROLD, *qui lui tend la main*

Sir John, je veux être le premier à souhaiter la bienvenue, au nom de mes collègues gentlemen, au nouveau citoyen de Westmount.

BOURGEOIS

Ho, ho, ho!... Sir Harold! C'est mon grand jour! Sir John Bêtise Bourgeois-haugh!

HAROLD, *qui sort en ricanant*

The old fool!

BOURGEOIS

Ma fille! ma fille Lucille!... Comment un nouveau gentleman annonce-t-il à sa fille qu'elle va épouser un lord anglais de Westmount?

Bourgeois et Lucille.

Entre Lucille.

BOURGEOIS

Ah! ma fille, ma petite Lucille, viens là parler un peu à ton père.

LUCILLE

Moi aussi j'ai à parler à mon père.

BOURGEOIS

C'est parfait. Comme ça on a plus qu'à décider qui va parler le premier. Je commence.

LUCILLE

Ça m'a l'air tout décidé déjà, comme d'habitude.

BOURGEOIS

Comment tu dis?

LUCILLE

Je dis que je vous écoute, p'pa.

BOURGEOIS

Bien, commençons... Donc... Disais-tu que t'avais aussi quelque chose à me dire?

154

LUCILLE

Non, non, après vous.

BOURGEOIS

C'est que, si tu m'aidais un peu.

LUCILLE

C'est si embarrassant que ça, ce que vous avez à me dire, p'pa? Auriez-vous un amour secret?

BOURGEOIS, *qui s'étouffe*

Moi?... Ce que ça apprend à l'université, les enfants d'aujourd'hui! Est-ce que j'ai l'air de quelqu'un, moi, tel que tu me vois, qui pourrait avoir des amours cachées?

LUCILLE

Non, vraiment, je vous imagine ben mal en train de faire des mamours à une étrangère, vous. Hi, hi!

BOURGEOIS, *offensé*

Ah! bon? Et pourquoi?

LUCILLE

Mais... parce que... c'est pas possible... Y a pas une femme qui vous prendrait au sérieux. Vous imaginez-vous?

BOURGEOIS

Je m'imagine très bien, au contraire. Tu me sembles pas avoir grand confiance dans les charmes de ton père, ma fille.

155

LUCILLE

Mais oui, mon petit papa chéri. J'ai la plus grande confiance en vous ; mais vos charmes seraient beaucoup moins appréciés à l'extérieur qu'à la maison. Vous êtes notre héros à nous, à maman, à moi, à Jacques et Joséphine, et à tout le quartier. Vous êtes la gloire de notre monde ; et toute la famille, la parenté et les voisins vous aiment bien.

BOURGEOIS, *qui fait la moue*

Les voisins et la parenté !

LUCILLE

Mais qu'est-ce qu'ils ont, les parents et voisins ?

BOURGEOIS

Justement, ils ont rien.

LUCILLE

Mais ils sont heureux... *(Confidentiel)* On a besoin que d'une chose, p'pa, pour être heureux : l'amour.

BOURGEOIS

V'là juste le sujet que je voulais amener, mon enfant. Je voulais te parler de ça.

LUCILLE

Bon, nous y v'là. Donc, p'pa, vous vous êtes bien douté de quelque chose.

156

BOURGEOIS

Je me doute qu'une fille de ton âge et de mon sang doit commencer à songer à...

LUCILLE

C'est déjà tout songé... Est-ce que je plonge?

BOURGEOIS

Si tu plonges? où ça?

LUCILLE

Est-ce que je vous dis tout?

BOURGEOIS

Tout, mon enfant, je suis ton père, un père qui veut le bonheur et le bien de sa fille.

LUCILLE

C'est sûr, ça? Vous me laisserez pas tomber?

BOURGEOIS

Comment, te laisser tomber! Si tu savais les soucis que je me donne pour te préparer un avenir.

LUCILLE

L'avenir, je m'en fous; c'est le présent qui compte. Le now!

BOURGEOIS, *fier*

Elle a déjà l'accent! (*À part.*) Elle sera plus facile à convaincre que sa toquée de mère. Essayons.

LUCILLE, *à part*

Il a l'air bien disposé. Allons-y.

Les deux attaquent en même temps.

BOURGEOIS

On te demande en mariage.

LUCILLE

On me demande en mariage.

LES DEUX

Et j'ai dit oui.

Ils rient et se sautent au cou.

BOURGEOIS

Ma petite fille, ma poulette, je savais que je pouvais compter sur toi.

LUCILLE

Merci, p'pa. Mon beau gros papa joufflu et bêta.

BOURGEOIS

Mais quand t'a-t-il parlé de ça? Je vous ai jamais vus ensemble.

LUCILLE

Si vous pensez qu'on sait pas se trouver dans les coins! La maison est grande.

158

BOURGEOIS

Ah ça alors! Je l'aurais pas cru si rapide et si entreprenant.

LUCILLE

Vous connaissez mal vos gens, p'pa. Si vous saviez comme il vous respecte et vous estime.

BOURGEOIS

Oh! je le sais, ma fille. Et tu pouvais pas faire un choix qui me ferait plus plaisir.

LUCILLE

Vous êtes merveilleux! Et moi qui vous croyais vieux jeu et toqué sur vos idées de grandeur.

BOURGEOIS

Tu vois les résultats de ma grandeur?

LUCILLE

Oui, la vraie grandeur qui est de faire le bonheur des siens. À l'avenir, je croirai tout possible.

BOURGEOIS

Vieux, jeu, qu'elle dit! Mais au contraire, je suis le seul ici qui a toujours cru à l'avenir. Je veux te faire un avenir digne de ton rang et de ta fortune.

LUCILLE

Ah! vous savez le rang et la fortune, moi...

159

BOURGEOIS

C'est pourtant très important pour le standing.

LUCILLE

Quand on aime, on peut se passer de tout, sauf d'amour.

BOURGEOIS

Mais l'amour qui a froid aux pieds et une crampe à l'estomac demande qu'on le chausse et le nourrisse.

LUCILLE

On mangera des hot dogs en hiver et du fromage en été.

BOURGEOIS

Ho, ho, si tu penses !

LUCILLE

Et on chaussera des espadrilles et des mocassins.

BOURGEOIS

Je l'imagine pas du tout là-dedans.

LUCILLE

Au contraire, p'pa, si tu savais comme il a bel allure, ses jours de congé, en overalls et bottes du Far West.

BOURGEOIS

C'est vrai? Il me faudra des overalls pour les vacances.

LUCILLE

Et quand il chante sur sa guitare...

BOURGEOIS

Il m'a pas dit ça.

LUCILLE

C'est que vous l'intimidez, il vous dit pas tout.

BOURGEOIS

Moi je l'intimide? Mais on est les plus grands amis du monde.

LUCILLE

Ah ça, il le sait pas.

BOURGEOIS

Comment il le sait pas? Mais on se tape dans le dos et on s'appelle par nos petits noms.

LUCILLE

Vous peut-être, mais pas lui.

BOURGEOIS

Lui? il m'appelle Sir John, et moi Sir Harold... des intimes.

161

LUCILLE

... Sir Harold... Sir Harold... Mais qui m'a demandée en mariage, p'pa?

BOURGEOIS

Mais Sir Harold, c't'affaire! Qui diable d'autre aurait pu...?

LUCILLE

Ah! non!... non! Et vous avez dit oui?... Papa... vous êtes un monstre!

Elle sort en colère et en larmes.

BOURGEOIS

Mais qu'est-ce qui lui arrive à la fin? Elle m'a dit qu'elle voulait se marier. Est-ce que je l'ai forcée, moi? Allez comprendre de quoi aux enfants d'aujourd'hui!

JOSÉPHINE, *de la coulisse*

Lady Guendolyn Twickenheim!

BOURGEOIS

Jésus, fils de Dieu, assistez-moi!

Bourgeois et Joséphine déguisée en lady extra-vagante.

JOSÉPHINE

My Lord, Sir John Bêtise Bourgeoishaugh — ha-ha!

BOURGEOIS

Ha-ha!... Mada — ha-me!

JOSÉPHINE

Eu-oh! deâh! my-my-my!

BOURGEOIS

Madame... milady!... Some more tea?

JOSÉPHINE

Some more tea? *(Qui cherche le thé.)* ... O'course, ma deâh! Eu — oh, eu-oh!

BOURGEOIS

Beuh... beuh... bridge last nigth.

JOSÉPHINE

No! ... Really? ... Hi, hi, hi!...

BOURGEOIS, *à part*

Christ! qu'est-ce que je dis après? ... your poodle...? Your pussy?

163

JOSÉPHINE, *à part*

Ah! non, nous r'voilà pas partis sus les pussy! *(Haut.)* Fine, thank you.

BOURGEOIS

Very much... *(À part)* Comment je vas sortir de ça, moi?

JOSÉPHINE, *avec un fort accent*

Parlez-vous français?

BOURGEOIS

Ah! mon Dieu! Merci!... Oui, oui... c'est-à-dire, je comprends un peu.

JOSÉPHINE

Español?... italiano?...

BOURGEOIS

Pas beaucoup, non.

JOSÉPHINE

Moi de même. Splendide, gorgeous! Nous pourrons donc nous comprendre.

BOURGEOIS

Ah oui, pour ça, quand on parle la même langue, on finit par se comprendre.

JOSÉPHINE

How true.

BOURGEOIS

Vous dites ?

JOSÉPHINE

True, I said true, comme dans trou.

BOURGEOIS

Oui, j'ai compris, mais où est le trou ?

JOSÉPHINE

Le français est une langue démodée et inutile, mais tellement chic.

BOURGEOIS

Vous trouvez ?

JOSÉPHINE

Oh ! comme c'est pittoresque ! Répétez !

BOURGEOIS

Faut que je répète ? Mais qu'est-ce que j'ai dit ?

JOSÉPHINE

Oh ! que c'est adorable ! « Qu'est-ce que j'ai dit ? » c'est si rare, si original. De la poésie.

BOURGEOIS

Ah bon ! Ben j'aurais jamais cru, ma grand foi !

JOSÉPHINE

« Ma grand foi ! » Comme c'est joli !

BOURGEOIS

E....ou.... some more tea ?

JOSÉPHINE

Yes... thank you.

BOURGEOIS

Very much.

JOSÉPHINE

J'en prendrai, s'il vous plaît.

BOURGEOIS

Vous en prendrez ?

JOSÉPHINE

Yes.

BOURGEOIS, *à part*

Quoi c'est ben qu'elle veut ?... *(Haut.)* Vous en prendrez un petit ? un gros ?

JOSÉPHINE

Un peu.

BOURGEOIS, *à part*

C'est-i' ben de quoi qui se mange ?... Je la relance. *(Haut.)* Some more tea ?

JOSÉPHINE

Yes, yes, more tea... more thé... thé... thé...

BOURGEOIS

Aaah ! du thé !

JOSÉPHINE

Yes !

BOURGEOIS

Tout de suite. *Il crie.)* Joséphine ! Joséphine !

Il sort.

JOSÉPHINE, *avec sa voix de servante*

Monsieur ?

Bourgeois revient.

BOURGEOIS

Joséphine... Mais où est-elle passée ? J'avais cru l'entendre ici.

JOSÉPHINE

Ici ? Je crois que ça venait de la cuisine.

Il sort de nouveau.

BOURGEOIS

Joséphine ! Joséphine !

Elle sort et crie de l'extérieur. Jeu de cache-cache entre les deux qui vont et viennent par des portes différentes.

JOSÉPHINE

Vous l'avez juste ratée. Elle est retournée à sa cuisine.

BOURGEOIS

Je l'attraperai à la fin.

JOSÉPHINE, *à part*

Ça me surprendrait. *(Haut.)*... Never mind, deah! Restons entre nous.

BOURGEOIS

Elle est jamais là quand on a besoin d'elle.

JOSÉPHINE

Ah non?

BOURGEOIS

C'est une garce et une vipère.

JOSÉPHINE, *à part*

Je me souviendrai de vipère.

BOURGEOIS

Une vieille fille enragée qui se venge sur tous les hommes du mari qu'elle a pas eu.

JOSÉPHINE

Oh!... *(Puis elle change de ton.)* Eu-oh!

BOURGEOIS

Une effrontée, insubordonnée, moqueuse et sans respect.

JOSÉPHINE

Oh! quelle abomination!... Est-ce qu'au moins elle fait son ouvrage? À quelle heure elle se lève le matin?

BOURGEOIS

Je sais pas... quand je descends elle est déjà debout.

JOSÉPHINE

Et le soir, à quelle heure finit sa journée?

BOURGEOIS

Le soir? Mais elle loge ici, alors...

JOSÉPHINE

... alors sa journée ne finit pas mais empatte sur l'autre. Et sa semaine, c'est du soixante heures? soixante douze? Et les vacances?...

BOURGEOIS

C'est que Joséphine est quasiment de la famille, vous comprenez, nourrie, logée...

JOSÉPHINE

C'est vrai ; pour une vipère, c'est assez payé.

BOURGEOIS

Elle a d'ailleurs aucun sens de l'argent et saurait pas où le dépenser.

JOSÉPHINE

Elle prendrait un billet pour la Suisse s'ouvrir un compte de banque, sûrement.

BOURGEOIS

Mais parlons plutôt de nous. Joséphine est sans intérêt.

JOSÉPHINE

Sans intérêts ni capital.

BOURGEOIS

Vous aimez danser ?

JOSÉPHINE

Je swing tous les dimanches soir... chez les Goldcloon.

BOURGEOIS

Ah ? Vous êtes peut-être libre le mardi ?

JOSÉPHINE

C'est mon soir de bingo... chez les Gold n' Gold.
Et le jeudi, on va houquer des tapis sus les Goldberg,
et les Blueberg, et les Steinberg.

BOURGEOIS

J'aurais pas cru ça. Et le samedi?

JOSÉPHINE

C'est réservé à la famille. Les Twickenheim,
Twickening et Twickededee s'en viennent à la maison
faire un frolique. Mon oncle Jérémie... Sir Jeremy...
sort sa bombarde, et mon cousin président du cabinet
se met sur l'harmonium, et ma grand-mère, Lady
Twickenish, saute sus la place et nous fait un step. Vous
devriez voir ça! Ça swing, et ça mange de la bou-
dinière ou du pâté au lièvre, et ça chante des complain-
tes de sus l'empremier...

BOURGEOIS, *complètement abasourdi*

Comment?... comment?...

JOSÉPHINE, *qui se ravise*

Ce qu'on appelle le Five o'clock tea, à Westmount.

BOURGEOIS

Ah!...

JOSÉPHINE

Si vous venez en jupe de plaid, comme les Écossais qui jouent de la cornemuse en Nova Scoché... vous ferez un malheur, je vous connais.

BOURGEOIS

Mais...

JOSÉPHINE

Dear... please...

BOURGEOIS

Ah!... Eu-oh!

JOSÉPHINE

Hi, hi, hi!...

BOURGEOIS

Ho, ho, ho!...

Complètement étourdi, il s'approche d'elle et lui prend la taille.

JOSÉPHINE

Iiiiiik!

Entre brusquement Mme Bourgeois.

Les mêmes plus Mme Bourgeois. Plus tard, tout le monde.

Mme BOURGEOIS

Ah-ha! C'était donc ça!

BOURGEOIS

Maudite marde!

JOSÉPHINE

True — true — true!... *(Elle roucoule.)*

Mme BOURGEOIS

Quoi c'est que c'est? un pigeon?...

BOURGEOIS

Écoute, ma cocotte...

Mme BOURGEOIS

Comme ça, on me trompe tandis que je me ballade à Old Orchard.

BOURGEOIS

Mais tandis que tu te ballades à Old Orchard, tu m'espionnes à Montréal.

Mme BOURGEOIS

Qu'est-ce que c'est que ce loup-cervier?

173

JOSÉPHINE, *à part*

Loup-cervier, pigeon... c'est quand même mieux que vipère.

BOURGEOIS

Est-ce que tu te rends compte, ma femme, à qui tu parles ?

JOSÉPHINE, *à part*

Certainement pas.

Mme BOURGEOIS

Oui, parfaitement. À une putain de la Main.

BOURGEOIS

Oh !... ma femme !

Mme BOURGEOIS

Et pis elle viendrait-i' de Rome ou de Notre-Dame-de-Grâce...

JOSÉPHINE, *à part*

J'aimerais mieux Notre-Dame-de-Grâce.

Mme BOURGEOIS

Qu'est-ce qu'elle fait ici ?

BOURGEOIS

De la décoration intérieure.

Mme BOURGEOIS

Ah! pour une décoration intérieure, ça c'en est tout une!

BOURGEOIS, *à Joséphine*

Madame, please... excusez-la...

Mme BOURGEOIS

Je te donne dix secondes pour mettre ça à la porte.

BOURGEOIS

Fais pas la folle, ma Cocotte; tout mon honneur est en jeu.

Mme BOURGEOIS

.... six secondes...

BOURGEOIS

Et notre avenir...

Mme BOURGEOIS

... trois secondes...

BOURGEOIS

Ma femme... ma petite crotte...

Entrent Jacques et Lucille.

LUCILLE

Mais qu'est-ce qu'i' se passe ici?

JOSÉPHINE

De la bouillie pour les chats.

LUCILLE

Mais... mais...

Elle chuchote quelque chose à Jacques et tous les deux démasquent Joséphine.

LUCILLE

Joséphine !

Mme BOURGEOIS

Non, pas possible !

BOURGEOIS

Est-ce que je rêve, moi ?

Tous rient, sauf le Bourgeois.

BOURGEOIS

J'ai donc tout le monde contre moi ?

Mme BOURGEOIS

Non, mon mari ; t'as contre toi personne d'autre que toi-même... et ton mauvais génie qui te pousse à la ruine : le Featherstonehahaha.

BOURGEOIS

C'est lui qui m'aidait au contraire à devenir gentleman.

Mme BOURGEOIS

Ah! parce que tu crois peut-être que t'es devenu gentleman? Où est-elle ta gentlemanerie?

BOURGEOIS

Ici, dans ce contrat de vente, mon domaine de Westmount. Tiens, lis ça... là... là... c'est signé.

Mme BOURGEOIS, *en lisant*

T'as signé ça?

BOURGEOIS

Mais quoi?

Mme BOURGEOIS

Lis toi-même.

Bourgeois lit attentivement le contrat.

BOURGEOIS

Mais... mais cette maison de la rue Beartrap était hypothéquée et en saisie... et... et c'est moi qui étais détenteur de l'hypothèque... J'ai acheté ma propre maison!

Il grimace comme s'il allait pleurer.

JOSÉPHINE

La bonne affaire! Comme ça vous avez rien perdu.

177

JACQUES

Surtout que je suis arrivé trop tard pour vous avertir... Mais c'était une baraque qui prenait l'eau et s'écroulait.

BOURGEOIS

Comment ?

LUCILLE

Dis tout, Jacques.

JACQUES

Votre Sir Harold, M'sieur, il a essayé de m'acheter pour vous avoir... pis il vous a filé sa propre maison et sa propre femme.

JOSÉPHINE

Pour du propre, c'est du propre !

Mme BOURGEOIS

Ah bon ! alors j'avais bien compris ! il y avait une femme là-dessous.

BOURGEOIS

C'était pas pour vrai, mon ange, seulement pour être gentleman et faire comme Goldberg et Gold n' Gold, pour être un patron comme les autres.

Mme BOURGEOIS

Et pourquoi tu veux être rien qu'un patron comme les autres ? Est-ce que les autres ont été capables de faire un million dans les claques en dix ans? Est-ce qu'y a d'autres petits gars de Sainte-Pétronille dans le Conseil du Patronat? Est-ce que les Goldcloon et les Goldberg et les Gold n' Gold sont partis de zéro, comme toi, pour arriver aujourd'hui à mener une douzaine de fabriques et deux douzaines de magasins? Un homme comme toi, Jean-Baptiste, se contenterait-i' après tout ça à être un patron comme les autres, et pas viser plus haut que Westmount?

Durant cette harangue, le Bourgeois reprend de l'assurance petit à petit.

BOURGEOIS

Mais y a rien de plus haut que Westmount, m'a-mie.

Mme BOURGEOIS

Si, mon cœur, y a l'industrie de Chaussures Bourgeois à Rosemont. Parce que celle-là, tu peux dire fièrement qu'elle chausse tout le quartier, et la ville, et une partie de la province; et que dans la neige d'hiver ou la slush du printemps, le pays marche dans tes claques. T'as pas besoin après ça de plier l'échine devant personne.

BOURGEOIS, *à la fois humble et gonflé*

Ma Cocotte... tu me donnes le goût de recommencer ma vie, comme y a vingt ans...

Entre temps, chuchotements entre Joséphine, Lucille et Jacques.

JOSÉPHINE, *bas*

Ben j'y vas... *(Haut)* M'sieur, y a icitte votre gendre qu'aurait queque chose à vous demander.

BOURGEOIS

Mon gendre?

JOSÉPHINE

Oui, votre gendre ici présent, *(Elle pousse Jacques vers le Bourgeois.)* qui veut vous demander la main de votre fille.

BOURGEOIS

Mais... mais c'est mon chauffeur.

JOSÉPHINE

Comme par adon.

Mme BOURGEOIS

Un brave gars du pays qu'a commencé en bas de l'échelle, comme toi. Dans le taxi, les limousines, le Murrayhill, pis le v'là rendu en moins de dix ans chauffeur privé de Jean-Baptiste Bourgeois. Il a de l'étoffe, notre Jacquot, et peut aller loin. Ça fait que tout à l'heure, en revenant de la gare, quand il m'a demandé la main de notre fille, j'ai dit que tu disais oui.

BOURGEOIS

Mais j'avais déjà dit oui à Sir Harold... qui doit venir tout à l'heure...

Mme BOURGEOIS

Jamais je croirai! V'là le restant!

LUCILLE

Ça non, par exemple!

JACQUES

M'sieur, je suis peut-être votre chauffeur, et je vous respecte; mais si vous me refusez Lucille, j'attendrai qu'elle soit majeure, j'attendrai le temps que ça prendra, et en attendant, je me lancerai dans les claques, moi itou, ou ben dans les tuques... et je viendrai un jour en Cadillac la chercher.

BOURGEOIS

V'là exactement les mots que j'avais dans la bouche vingt ans passés. Tu te souviens, ma crotte? ...Y a-t-il quelqu'un ici qui sait câler la danse?

Entrent les deux maîtres.

JOSÉPHINE

Oui, m'est avis qu'y en a un, deux même.

BOURGEOIS

Venez, mes petits maîtres, organisez-moi une quadrille comme dans le bon vieux temps: je marie ma fille.

LUCILLE

Papa!

181

JACQUES

Monsieur!

Mme BOURGEOIS

Mon gros bêta!

PROFESSEUR

What is going on?

MAÎTRE

Je vais vous la câler la danse!

PROFESSEUR

Câler la danse est un anglicisme...

JOSÉPHINE

Oh non! c'est la seule chose anglaise qui soit vraiment à nous autres. On vous rend vos plum pudding, et vos roast beef, et votre bridge, ben on continuera de câler une quadrille!

Entre Sir Harold.

HAROLD

Oh! toute la famille est réunie? Je suis donc très heureux, Sir John, mon ami...

BOURGEOIS

Joignez-vous à nous, Sir Harold, vendeur de maisons hypothéquées et entremetteur de femmes à vendre! Je marie ma fille!

Tout le monde se lance dans la quadrille, en-
cerclant Harold pris au piège. La quadrille s'ac-
compagne d'une bastonnade à Sir Harold.

JOSÉPHINE

Et des claques! et encore des claques pour Westmount!

FIN

Montréal, le 28 avril 1978

TABLE

DU MÊME AUTEUR

Chez le même Éditeur

Romans, contes et récits

Pointe-aux-Coques, roman, Montréal, Fides, 1958.
Leméac, 1972, 1977.
Par derrière chez mon père, contes, 1972.
Don L'Orignal, roman, 1972, 1977.
Mariaagélas, roman, 1973. Grasset, 1975.
Emmanuel à Joseph à Dâvit, récit, 1975.
On a mangé la dune, roman, Beauchemin, 1962.
Leméac, 1977.
Les Cordes-de-Bois, roman, 1977. Grasset 1977.
L'Acadie pour quasiment rien, guide historique, touristique et humoristique. En collaboration avec Rita Scalabrini, 1973.

Théâtre

La Sagouine, 1974 (nouvelle édition revue et considérablement augmentée). Grasset, 1976.
Les Crasseux, 1974 (édition corrigée, revue et augmentée).
Gapi et Sullivan, 1973 (épuisé).
Évangéline Deusse, 1975.
Gapi, 1976.
La Veuve enragée, 1977.

Autre Éditeur

Rabelais et les traditions populaires en Acadie, Québec, Presses de l'Université Laval, 1971.

DANS LA MÊME COLLECTION

24. *Diguidi, diguidi, ha! ha! ha!* et *Si les Sansou-cis s'en soucient, ces Sansoucis-ci s'en soucie-ront-ils? Bien parler c'est se respecter!* de Jean-Claude Germain, 194 p.

25. *Manon Lastcall* et *Joualez-moi d'amour* de Jean Barbeau, 98 p.

26. *Les Belles-sœurs* de Michel Tremblay, 156 p.

27. *Médée* de Marcel Dubé, 124 p.

28. *La vie exemplaire d'Alcide 1ᵉʳ le pharamineux et de sa proche descendance* d'André Ricard, 174 p.

29. *De l'autre côté du mur* suivi de cinq courtes pièces de Marcel Dubé, 214 p.

30. *La Discrétion, La Neige, Le Trajet* et *Les Prota-gonistes* de Naïm Kattan, 144 p.

31. *Félix Poutré* de L. H. Fréchette, 144 p.

32. *Le Retour de l'exilé* de L. H. Fréchette, 120 p.

33. *Papineau* de L. H. Fréchette, 160 p.

34. *Véronica* de L. H. Fréchette, 120 p.

35. *Si les Canadiennes le voulaient!* et *Aux jours de Maisonneuve* de Laure Conan, 168 p.

36. *Cérémonial funèbre sur le corps de Jean-Olivier Chénier* de Jean-Robert Rémillard, 121 p.

37. *Virginie* de Marcel Dubé, 161 p.

38. *Le Temps d'une vie* de Roland Lepage, 151 p.

39. *Sous le règne d'Augusta* de Robert Choquette, 136 p.

40. *L'Impromptu de Québec* ou *Le Testament* de Marcel Dubé, 208 p.

41. *Bonjour, là, bonjour* de Michel Tremblay, 111 p.

42. *Une brosse* de Jean Barbeau, 117 p.

43. *L'été s'appelle Julie* de Marcel Dubé, 154 p.

44. *Une soirée en octobre* d'André Major, 97 p.

ACHEVÉ D'IMPRIMER SUR
LES PRESSES DES ATELIERS
MARQUIS DE MONTMAGNY
LE 14 JANVIER 1982 POUR
LES ÉDITIONS LEMÉAC INC.